Introduction à la
GESTION
des ressources humaines

Études de cas et exercices

Daniel Beaupré Ph.D. et Geneviève Robert-Huot, M.Sc.

Correction linguistique des cas et exercices
Catherine Martel

Graphisme
Véronique Poulin

ISBN 978-2-9814028-0-6
Dépôt légal - Bibliothèque et Archives nationales du Québec, 2013
Dépôt légal - Bibliothèque et Archives Canada, 2013

Les auteurs

Docteur en relations industrielles, gestion des ressources humaines et organisation du travail, **Daniel Beaupré** est professeur titulaire au département d'organisation et ressources humaines à l'École des sciences de la gestion à l'UQAM. Il enseigne le cours d'introduction à la gestion des ressources humaines depuis plus de vingt ans. Il se spécialise en gestion stratégique des ressources humaines, en organisation du travail, en formation et en développement des compétences. Depuis vingt ans, plus d'une centaine d'organisations du secteur privé, public et parapublic ont fait appel à lui pour être conseillées dans leur développement.

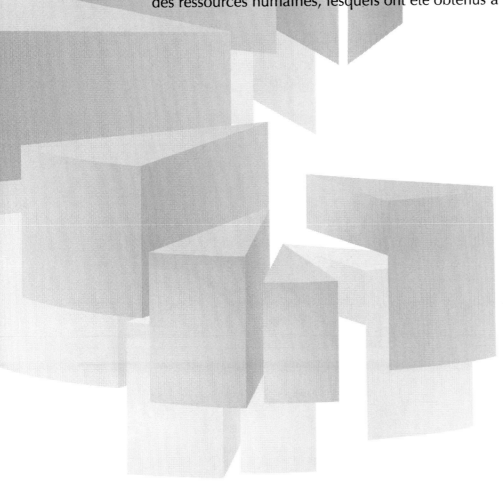

Geneviève Robert-Huot est étudiante au doctorat en administration à l'UQAM et chargée de cours en introduction à la gestion des ressources humaines. Elle oriente ses travaux en comportement organisationnel. Elle détient un B.A.A. en gestion des ressources humaines ainsi qu'une maîtrise ès science de la gestion, spécialisée en gestion des ressources humaines, lesquels ont été obtenus à l'UQAM.

Avant-Propos

La méthode des cas est une méthode utilisée en enseignement de la gestion depuis plus de 50 ans. Elle est reconnue pour offrir aux étudiants un cadre d'enseignement se rapprochant de la réalité tout en leur permettant de mettre à profit leur propre expérience et leur capacité d'analyse afin d'intégrer de nouvelles connaissances.

Notre objectif était d'aider les étudiants à développer leur jugement et leur capacité d'analyse afin qu'ils soient aptes à prendre des décisions éclairées dès leur premier emploi en gestion des ressources humaines. À travers cet ouvrage, nous avions le souci de présenter des situations fictives se rapprochant de la réalité, et aussi celui de transmettre aux étudiants les notions théoriques d'un cours d'introduction à la GRH. Pour ce faire nous nous sommes donc penchés sur la littérature afin de couvrir la théorie jugée pertinente à travers des cas écrits à partir de données secondaires.

Cet ouvrage se veut être un outil pédagogique pour toute personne souhaitant mettre à l'épreuve ses connaissances en GRH en joignant la pratique à la théorie. À travers ses 13 sections, comportant de un à cinq cas, et incluant parfois des exercices, cet ouvrage couvre l'ensemble des dimensions de la gestion des ressources humaines. Pour des raisons pratiques, certains thèmes, tels que la cyber gestion ou la gestion à l'international sont abordés à l'intérieur de la même section.

Remerciement

Nous devons remercier tous nos collègues et amis dont les expériences ont été mises à profit afin d'inspirer plusieurs des cas de cet ouvrage. Merci également à ceux qui se sont prêtés au jeu afin de tester les cas. Nous souhaitons souligner l'aide de Julie Cloutier dans la conception et la révision des cas et exercices portant sur la rémunération. Finalement, merci à tous les professeurs et chargés de cours qui feront bon usage de ce matériel d'enseignement.

Table des matières

1 Introduction à la GRH

1.1. Introduire la GRH

Votre frère et vous êtes tous deux directeurs généraux de l'entreprise Aménagements de rêve, une florissante entreprise d'aménagement paysagé desservant les territoires de la Montérégie et des Cantons-de-l'Est. Cette entreprise a été fondée en 1970 par votre père qui, à l'époque, travaillait avec une seule équipe de paysagistes. De l'eau a coulé sous les ponts et la PME s'est développée pour devenir la première entreprise d'aménagement paysagé sur la Rive-Sud de Montréal. En effet, le départ de plus petites entreprises n'ayant pas prévu de relève a permis aux Aménagements de Rêve d'agrandir ses parts de marché.

Au plus fort de la saison, l'entreprise embauche près de 70 personnes. L'hiver, une vingtaine de ces employés font du déneigement. Lors de bonnes années, l'entreprise peut cumuler un chiffre d'affaires de près de 2 millions de dollars. En effet, les équipes de travail les plus productives rapportent en moyenne 1500 $ par jour. L'entreprise a d'ailleurs gagné de nombreux prix et elle est reconnue pour la qualité de ses patios et terrasses, pour l'harmonisation de ses plates-bandes et de ses aménagements floraux ainsi que pour le souci du détail dans la réalisation de ses pavés et murets.

L'équipe de direction est formée de votre frère et vous en tant que copropriétaires et d'un directeur à la conception. Votre frère et vous agissez en tant que directeurs aux aménagements. Cette équipe de directeurs est appuyée par une adjointe administrative et deux techniciennes qui se chargent de la paperasse administrative. L'équipe de conception est formée de sept designers extérieurs et d'architectes paysagistes qui, après avoir mis au point les plans à l'aide de logiciels, travaillent de pair avec les 5 contremaîtres sur le terrain. Ces contremaîtres se partagent les différentes spécialités des *Aménagements de Rêve*, soit la maçonnerie, l'horticulture, l'aménagement, l'émondage et l'entretien.

Au plus fort de la saison, près d'une quinzaine d'équipes de travail, formées de 2 à 5 employés, se partagent le territoire desservi par *Aménagements de Rêve*. Les petites équipes sont formées d'employés expérimentés pouvant faire preuve d'autonomie. Les équipes formées de 5 employés incluent également un chef d'équipe. Au total, une dizaine de chefs d'équipe sont embauchés par l'entreprise. Les contremaîtres, quant à eux, n'ont pas d'équipe de travail attitrée. Ils se promènent plutôt sur les différents projets afin d'être présents lors d'étapes clés. Par exemple, un important projet incluant des projets de maçonnerie et d'horticulture pourrait recevoir la visite du contremaître en maçonnerie lors du début des travaux de maçonnerie. Le contremaître en horticulture pourrait également visiter le projet pour faire un contrôle des aménagements floraux créés par l'équipe de travail.

Actuellement, ce sont les techniciennes qui s'occupent des paies des employés. L'adjointe administrative s'occupe de faire les affichages de poste et la première lecture de CV, alors que le choix des candidats est relégué aux contremaîtres, qui devront se charger des entrevues. Compte tenu de la quantité de nouveau personnel embauché chaque année, votre frère et vous accordez peu d'importance aux choix des contremaîtres relativement aux personnes embauchées.

En fin de saison, vous planifiez toujours, avec votre frère, une rencontre avec le directeur à la conception et les contremaîtres pour faire le bilan de l'été. Cette année, plusieurs points sont soulevés. Bien qu'aucune donnée n'ait été analysée pour confirmer cette impression, les contremaîtres ont dénoté un important roulement de personnel. En effet, il semblerait que peu de votre personnel étudiant reviennent pour une deuxième année. Cela a donc pour conséquence de devoir former plusieurs nouveaux employés chaque année. De plus, certains contremaîtres se sont plaints de perdre beaucoup de temps dans la sélection du personnel, alors que d'autres ont révélé qu'ils ne faisaient que des entrevues téléphoniques, puisque cela était moins long.

En plus des problèmes qui sont ressortis lors de cette réunion, vous vous souvenez bien d'un conflit survenu cet été lorsque deux chefs d'équipe ont réalisé que l'un était mieux rémunéré que l'autre, bien qu'il ait moins d'expérience. En effet, plusieurs contrats ainsi que les augmentations salariales sont négociés individuellement. Puisque l'entreprise a pris de l'expansion graduellement, votre frère et vous n'avez jamais envisagé de passer à un mode de gestion plus structuré, et donc mieux adapté à une plus grande PME.

Questions 1.1

1. Croyez-vous qu'il serait pertinent pour l'entreprise d'embaucher un généraliste de la GRH? Des spécialistes en GRH? Ou de former un service RH?

2. Nommez deux objectifs explicites et deux objectifs implicites de la GRH.

3. Décrivez comment les responsabilités associées à la GRH pourraient être partagées au sein de l'entreprise en ce qui a trait au recrutement, à la formation, à la rémunération et à la santé et sécurité au travail?

4. Quelles devraient être les priorités liées à la gestion des ressources humaines pour cette entreprise?

1.2. Développer la GRH

L'entreprise *PharmaIno* est née de la fusion entre *PharmaProd* et *InoMédic*. À l'origine, chacune de ces deux entreprises du secteur de la pharmacologie comptait respectivement une centaine et une soixantaine d'employés. *PharmaProd* était spécialisée dans la production à grande échelle de médicaments. Elle recevait des contrats de laboratoires de recherche afin de produire des médicaments destinés à la vente. La seconde, *InoMédic*, était chef de file en recherche et développement. Pour les propriétaires, la fusion des deux compagnies a permis de combler leurs lacunes respectives. *PharmaIno* peut maintenant produire à plus faibles coûts grâce au capital de connaissances de *PharmaProd*, et ses produits bénéficient de la réputation d'*InoMédic*. Afin d'opérationnaliser la fusion, *InoMédic* a déménagé dans un nouveau bâtiment construit dans le même secteur.

Autrefois, aucune des deux entreprises n'avait de réel service RH. Les paies étaient préparées par un commis comptable et les contrats de travail étaient parfois négociés directement avec les propriétaires. Les évaluations du rendement étaient faites à la discrétion des superviseurs. Lorsque les chercheurs voulaient suivre une formation ou assister à un colloque, ils n'avaient qu'à faire approuver la dépense par le comptable pour être remboursés. Cette façon de faire fonctionnait bien dans les deux PME. Toutefois, la nouvelle équipe de direction de *PharmaIno* croit que, compte tenu de l'ampleur actuelle de la nouvelle entreprise, il serait nécessaire d'embaucher une personne responsable de la gestion des ressources humaines.

Les ressources humaines du secteur d'activité de *PharmaIno* comportent des caractéristiques très spécifiques. Il s'agit d'individus ayant un niveau de scolarité élevé et les meilleurs chercheurs sont souvent recrutés par des firmes concurrentes. C'est donc à savoir quelle entreprise réussira à être la plus concurrentielle et qui offrira les meilleurs laboratoires ou les meilleures conditions de travail. De plus, le département de recherche et développement de *PharmaIno* mise sur le travail d'équipe, mais il se crée parfois des sentiments d'injustice, puisque tous les groupes de travail ne bénéficient pas de la même latitude.

Les membres de la direction désirent donc embaucher une personne qui sera responsable de la gestion des ressources humaines, mais ils s'interrogent au sujet du profil de la personne à embaucher, de son futur rôle, du niveau hiérarchique qu'elle occupera et de la structure que prendra le futur département des ressources humaines.

Questions 1.2

1. Quelle position hiérarchique devrait occuper la personne responsable des ressources humaines et croyez-vous qu'une seule personne serait suffisante?

....

....

....

....

....

....

2. Quelles sont les qualités requises pour un professionnel de la GRH?

....

....

....

....

....

....

3. Quels sont les quatre grands rôles des professionnels des ressources humaines?

....

....

....

....

....

....

4. Avant l'arrivée du nouveau ou de la nouvelle responsable de la GRH, y avait-il une fonction RH au sein de l'entreprise, et ce, malgré l'absence d'un service RH?

....

....

....

....

....

....

5. Diriez-vous de cette entreprise qu'elle aura une GRH centralisée ou décentralisée?

....

....

....

....

....

....

6. De façon générale, quelles pourraient être les principales orientations des stratégies RH à l'égard de l'organisation du travail, de la dotation, de la formation et de la rémunération?

....

....

....

....

....

....

2 La gestion stratégique des ressources humaines

2.1. Faire prendre de la vitesse à sa GRH

DNW est une entreprise du secteur de l'automobile existant depuis près de 50 ans. Leurs voitures de luxe font de la marque DNW un gage de qualité reconnu à travers le monde. L'entreprise compte plusieurs établissements et usines à travers l'Amérique du Nord, et leur siège social est situé à Toronto. Dans les dernières années, leur chiffre d'affaires a pratiquement triplé grâce à l'acquisition d'une autre marque de voiture de luxe, ce qui a nettement fait augmenter leur rapport de force auprès des concurrents. De plus, l'entreprise est reconnue pour avoir développé les premiers modèles de voitures de luxe hybrides, puis complètement électriques.

Depuis les dernières décennies, l'entreprise a fait face à plusieurs changements dans son secteur d'activité, aussi bien concernant le volet technologique que l'augmentation de la concurrence. De plus, DNW a dû s'adapter à différentes législations lors de l'ouverture d'usines dans d'autres pays. Elle a également réussi à traverser avec brio les différentes phases de l'industrialisation. En effet, à l'origine, les voitures étaient assemblées sur des chaines de montage; les tâches des employés, très parcellisées, ne requéraient aucune compétence particulière chez la main-d'œuvre. Avec la venue de l'automatisation, et, finalement, des nouvelles technologies, l'industrie a subi de grands changements. Au final, DNW a toujours réussi à se démarquer en recherchant les employés les plus compétents et les meilleurs ingénieurs.

Aujourd'hui, l'entreprise compte près de 1500 employés répartis dans quatre usines et trois centres de recherche et développement. Les directeurs de chaque usine et centre de recherche jouissent d'une large autonomie. Chaque usine est gérée comme un centre de coûts et de profit. Cela signifie que les profits que chaque usine génère sont comptabilisés séparément. De plus, le budget attribué à une usine pour ses exploitations est tributaire de ses profits. Chaque centre de recherche bénéficie également d'un budget d'exploitation distinct.

Bien que la santé financière de l'entreprise soit excellente, le directeur général a constaté que plusieurs irrégularités dans la façon de gérer le personnel perdurent depuis un certain nombre d'années. Il semblerait en effet que les gestionnaires ne soient pas vraiment outillés pour gérer efficacement leurs ressources humaines. Deux centres de recherche et développement ont chacun une équipe formée d'une conseillère et de deux techniciennes administratives, alors que le troisième centre n'a qu'un directeur du personnel bien souvent débordé, mais qui préfère tout gérer seul plutôt que de dépenser en personnel administratif. En ce qui concerne les quatre usines, elles n'ont qu'une conseillère RH chacune. Celle-ci doit s'occuper des politiques RH, du recrutement, des paies et des réclamations de SST; la tâche est lourde, considérant que chaque usine compte entre 200 et 300 personnes.

Ce manque de cohérence dans les ressources allouées à la GRH créé des différences importantes dans la qualité de la gestion entre tous les établissements de l'entreprise. En effet, certains établissements bénéficient d'un guide d'employé alors que d'autres n'en ont pas. Les supérieurs de certaines usines prennent la peine de rencontrer leurs employés 3 à 4 fois par année pour parler de rendement et de gestion de carrière, alors que d'autres ne procèdent qu'à des évaluations du rendement de façon annuelle.

Ainsi, le directeur général de DNW est persuadé qu'une réorganisation de la gestion des ressources humaines pourrait être grandement bénéfique pour l'ensemble des usines.

Questions 2.1

1. Cette entreprise devrait-elle avoir une GRH centralisée, partiellement décentralisée ou complètement décentralisée? Combien de personnes devraient travailler pour les RH et comment devrait-elle être réparties?

....

....

....

....

....

....

....

2. Formulez un exemple de ce que pourraient être la vision, la mission et les valeurs de DNW.

....

....

....

....

....

....

3. Quelle est la principale stratégie de cette entreprise?

....

....

....

....

....

4. Nommez trois éléments de l'environnement externe pouvant avoir influencé l'entreprise DNW au cours des 10 dernières années. Selon vous, quelles ont été les conséquences de ces changements?

....

....

....

....

....

....

5. Que signifie avoir une *vision systémique*? Analysez la GRH de chez DNW en adoptant une vision systémique.

....

....

....

....

....

....

6. Que signifie avoir une *vision stratégique* des RH? Donnez deux exemples où l'entreprise adopte ou pourrait adopter une gestion stratégique des RH.

....

....

....

....

....

....

2.2. Diagnostic et tableau de bord

David est le tout nouveau directeur des ressources humaines chez *Félindra*, une compagnie de génie-conseil embauchant une centaine de personnes. Avant d'être embauché chez *Félindra*, David occupait un emploi de consultant en gestion des ressources humaines et se spécialisait dans le diagnostic organisationnel. Dès son entrée en poste, il souhaita enclencher un processus de diagnostic auprès des employés de *Félindra*.

Lorsqu'il était consultant, David avait pour habitude de commencer ses diagnostics en étudiant le tableau de bord de l'organisation, où l'on trouvait les indicateurs relatifs à la gestion des ressources humaines. Ce ne fut pas sans surprise qu'il découvrit qu'on ne tenait pas un tel tableau chez *Félindra*. Le PDG lui expliqua d'abord que, selon lui, tout allait pour le mieux chez son personnel. Par contre, il n'avait aucune donnée permettant de corroborer ses propos! David expliqua à son PDG qu'il était très important de prendre le pouls de ses ressources humaines. En effet, leurs attitudes et leurs perceptions ont un grand rôle à jouer dans la performance de l'organisation. Les employés seront d'autant plus satisfaits de se sentir impliqués dans une démarche d'amélioration des processus RH. Selon David, la GRH mérite d'être analysée avec ses propres indicateurs, à même titre que l'efficience économique est mesurée par les niveaux de productivité et l'utilisation des ressources, et que la pérennité de l'organisation est mesurée par les parts de marché et les marges bénéficiaires. La grande crédibilité de David joua en sa faveur et le PDG donna alors son accord pour implanter un tableau de bord des ressources humaines.

David fut quelque peu déçu de la première collecte de données. À la demande du directeur général, les questionnaires furent envoyés par la poste au domicile des employés. Après avoir transmis un courriel de rappel à tous les employés, le taux de réponse final était seulement de 40 %. Les résultats du sondage ont quand même permis de mettre en évidence plusieurs éléments problématiques au sein de l'entreprise. En effet, les employés se sont montrés peu satisfaits du système d'évaluation du rendement ainsi que des possibilités de formation et de perfectionnement. Maintenant, David doit investiguer du côté des possibilités d'amélioration. Pour ce faire, il doit élaborer une stratégie pour pousser davantage son diagnostic au sujet de ces deux dimensions de la GRH.

Questions 2.2

1. Expliquez, à partir du modèle de Le Louarn et Wils (2001), comment les pratiques et les politiques de GRH peuvent influencer les résultats financiers de l'organisation.

....

....

....

....

2. Aidez David à créer son tableau de bord en trouvant un indicateur pour chacun des cinq aspects suivants : (1) engagement et mobilisation de son personnel, (2) santé et sécurité au travail, (3) climat de travail, (4) compétences des employés, (5) rendement des employés.

....

....

....

....

3. Quels sont les inconvénients de la méthode utilisée pour la première phase du diagnostic? Comment aurait pu procéder l'entreprise pour obtenir un meilleur taux de réponse?

....

....

....

....

4. Pour la deuxième phase du diagnostic, quelle méthode préconiseriez-vous pour collecter les informations dont David a besoin? Nommez un avantage et un inconvénient associé à cette méthode.

....

....

....

....

3 Organisation du travail

3.1. Décalage chez *TechnoVoyage*

Vous êtes vice-président aux ressources humaines pour *TechnoVoyage*, une grande agence de voyages. Votre organisation se démarque des petites agences par son service à distance. En fait, cela signifie simplement que l'ensemble de vos services se fait par téléphone ou par internet. Cette stratégie d'affaires permet à l'entreprise d'économiser sur la location de locaux qu'aurait nécessité l'ouverture de plusieurs centres de service. L'entreprise possède plutôt deux grands centres d'appel; un situé à Québec, et l'autre à Montréal. Il est très rare qu'un client se présente à l'un des bureaux. D'ailleurs, l'aménagement des centres n'est pas prévu à cet effet.

Les structures des centres de Montréal et de Québec sont fort semblables. Chaque centre compte 5 réceptionnistes, 10 conseillers, 8 commis au paiement, 4 commis aux points de fidélisation, et 4 commis aux assurances de voyage. Le siège social de Montréal gère également le site internet et embauche plusieurs concepteurs web. Une autre équipe se charge de faire la recherche de partenaires d'affaires à travers le monde, permettant ainsi à *TechnoVoyage* d'obtenir de meilleurs prix sur plusieurs forfaits. Une des forces de *TechnoVoyage* est que tous les conseillers sont diplômés et détiennent un DEP ou un AEC en tourisme et voyage. En effet, les autres grandes agences de voyages servant la clientèle exclusivement par plateforme web ou par centre d'appel ne bénéficient pas des services de véritables conseillers en voyage. Les clients doivent donc faire leurs propres recherches quant à la destination et l'itinéraire désirés.

Lorsqu'un client téléphone chez *TechnoVoyage*, un réceptionniste le questionne d'abord sur la destination voulue. Une fois cette information obtenue, l'appel peut être transféré à un conseiller spécialisé dans la destination recherchée. Ce dernier pourra transmettre par courriel des informations complémentaires au client, aidant celui-ci à faire son choix. Si le client souhaite conclure un achat, on le transfert ensuite à un commis au paiement, qui aura accès au forfait sélectionné grâce au système informatique. Si le client possède une carte de points de fidélisation lui permettant d'économiser sur son voyage, il sera ensuite transféré au commis aux promotions, qui devra contacter la compagnie de la carte de points afin de confirmer le montant économisé. En dernier lieu, lorsque le client ne possède pas d'assurance voyage, le commis aux assurances pourra lui vendre un produit correspondant à ses besoins.

Les conseillers et les réceptionnistes ont aussi la responsabilité de tenir le service de clavardage du site internet. Lorsqu'un internaute veut communiquer avec un conseiller, une boite de clavardage apparait sur l'écran des réceptionnistes. Le premier disponible pour répondre au message questionnera d'abord le client sur le type de voyage qu'il recherche avant de le rediriger vers le conseiller approprié à l'aide du réseau informatique interne.

Les commis aux ventes, aux promotions et aux assurances sont également responsables des demandes reçues sur le web. Toutes les demandes web doivent être analysées pour s'assurer que les formulaires sont adéquatement remplis et que les informations sont valides. Ainsi, lors de périodes creuses, les commis s'occupent des dossiers web selon leurs responsabilités respectives. En général, les confirmations seront envoyées aux clients dans les deux jours suivant la réservation web.

En tant que vice-président aux ressources humaines, on vous convoque à une rencontre avec les autres membres de la direction. Lors de cette réunion, on présente les résultats d'une enquête faite par une firme de marketing. En voici les points saillants :

- Les personnes de moins de 40 ans favorisent une agence de voyages ayant un service en ligne alors qu'une partie de celles de plus de 40 ans préfère pouvoir rencontrer un conseiller en personne.

- Les clients magasinent fréquemment leur voyage auprès de plusieurs agences à la fois. Ils concluront la vente avec celle ayant le meilleur prix.

- Le service par téléphone de *TechnoVoyage* est peu connu, mais a été largement apprécié par ses utilisateurs, malgré au niveau du temps requis pour conclure l'achat.

Les statistiques de l'entreprise indiquent qu'en moyenne, un client téléphone 2 fois avant d'acheter un forfait. Vingt-cinq pour cent des acheteurs sur le web ont déjà téléphoné une fois avant de conclure leur achat. Une seconde statistique indique qu'un appel se terminant après la prise d'information avec un conseiller peut prendre 15 minutes, alors que lorsqu'un achat est effectué, le temps d'appel sera d'une durée totale moyenne de

25 minutes, dont seulement de 4 à 6 minutes avec le conseiller. Cette différence s'explique entre autres par l'attente causée par l'acheminement de l'appel entre les différents services. En fait, la durée réelle du temps passé à parler à un employé est d'en moyenne 15 minutes.

Le taux de roulement dans la plupart des postes est plutôt faible, soit d'environ 2 %. La situation est toute autre pour les commis à la vente, aux promotions et aux assurances, où il est d'environ 15 %. Selon la direction, cette situation s'explique par le fait que ces postes sont au quart occupés par des étudiants, mais aucune vérification n'a été faite au sujet de cette hypothèse.

Après avoir présenté ces données, le président indique au comité de direction que les avancées technologiques ont permis à vos concurrents de prendre davantage de place sur le marché. Il est primordial de trouver une façon de rendre plus efficientes les activités de l'organisation afin d'éviter des répercussions sur la compétitivité, et ainsi réduire le risque que l'entreprise perde une part de sa clientèle. Cette rencontre a donc pour objectif de récolter l'opinion de chacun des membres de la direction sur la stratégie à entreprendre.

Questions 3.1

1. Que suggérez-vous à l'entreprise pour améliorer sa compétitivité?

2. Quelles ressources seront nécessaires pour effectuer ce plan stratégique?

3. Comment ces modifications influenceront-elles les autres aspects de la GRH?

3.2. Des ouvriers assis sur leurs lauriers

Vous êtes consultant en gestion, et la compagnie Con-Fo vous contacte afin que vous leur veniez en aide. Con-Fo est une entreprise québécoise de conception de fauteuils et de canapés. Elle produit plusieurs gammes de produits allant du canapé modulaire au fauteuil inclinable. Actuellement, l'entreprise rencontre des difficultés financières. La mondialisation a considérablement fait augmenter la concurrence, surtout de la Chine. De plus, les produits en provenance d'outre-mer sont souvent vendus à plus bas prix. Toutefois, la direction de Con-Fo croit que ses produits se démarquent par leur qualité nettement supérieure, puisqu'une grande partie de la fabrication est faite à la main. De plus, il est possible de personnaliser les modèles selon les désirs des clients. Ces derniers n'ont qu'à passer leur commande auprès d'un distributeur qui la transmettra à Con-Fo. Malgré cet avantage concurrentiel, la direction de Con-Fo admet que ses ventes ont diminué au cours des dernières années. La plupart des employés cumulent beaucoup d'ancienneté et sont très engagés envers l'entreprise. Depuis le début de la crise, le propriétaire a tout fait pour ne pas avoir à licencier un seul de ses soixante employés. En tant que consultant, vous avez le mandat d'élaborer un plan stratégique qui permettra à l'entreprise de faire face à cette féroce concurrence.

Selon vous, l'entreprise peut surtout agir sur les délais de livraison pour devancer la concurrence chinoise. Vous souhaitez donc optimiser la production pour créer un impact significatif sur les délais entre la transmission de la commande à Con-Fo et le moment où le distributeur reçoit les produits. Vous commencez votre diagnostic en rencontrant le directeur des opérations. Celui-ci vous présente d'abord un plan du processus de production de l'usine pour que vous compreniez son fonctionnement. Vous décidez d'aller passer trois jours sur les lieux afin d'observer les opérations.

Vous remarquez d'abord que la production est divisée en deux types de commandes : les productions de masse pour les distributeurs, et les commandes spéciales de clients désirant personnaliser un modèle par ses dimensions, sa couleur ou son tissu. Vous constatez rapidement que la priorité est accordée aux productions de masse. En effet, vous notez que les commandes personnalisées ont été laissées de côté pratiquement toute la semaine. Les responsables de la production ont attendu que les commandes pour les distributeurs soient terminées avant de démarrer la production des commandes personnalisées. Toute la semaine on a ignoré ces commandes, et ce, malgré les appels de certains clients demandant à quel moment le produit serait prêt. Les responsables des opérations ont justifié cette décision par les délais serrés qu'imposent les distributeurs, lesquels pourraient être bien tentés d'aller vers la concurrence en cas de retard dans les livraisons. Les distributeurs sont de plus en plus exigeants quant aux délais, et, pour les respecter, il est fréquent que l'entreprise exige des heures supplémentaires aux ouvriers.

Le schéma suivant illustre la configuration des postes de travail. Les indications « c1, c2,… » indiquent un poste de couturière, tout comme R1 indique un poste de remplissage, et r1 de rembourreur. Le département de coupe et d'assemblage de bois n'est pas détaillé sur ce schéma, mais il est identique au département de couture quant au nombre de postes.

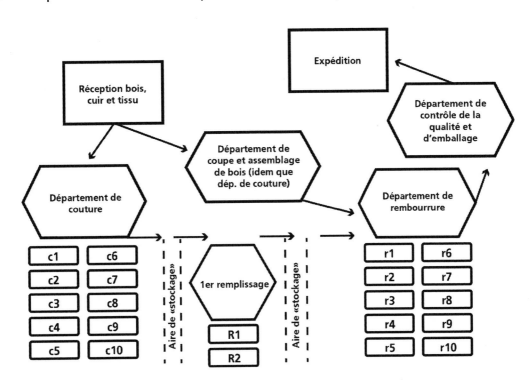

Ainsi, les matières premières sont acheminées vers le département de couture et le département de coupe et d'assemblage de bois. Suite à un premier remplissage, les pièces de tissu sont assemblées avec les structures en bois par les rembourreurs. Une fois le produit terminé, il est vérifié, acheminé à l'emballage, puis fin prêt pour l'expédition.

L'usine roule sur un seul quart de travail, soit de 8 h à 17 h. Le matin, chaque ouvrier reprend le travail là où il avait été laissé la veille. Vous observez plusieurs goulots d'étranglement tout au long de la chaine de montage. En effet, les aires de stockage se remplissent lorsqu'un département n'est pas aussi rapide que celui qui le précède. Il arrive même que des rembourreurs soient contraints d'attendre les structures de bois pour pouvoir y fixer les tissus. Vous avez également constaté qu'il arrive que les ouvriers responsables de tester la qualité du produit quittent l'usine une heure avant la fin de leur quart de travail par manque d'ouvrage.

Suite à vos observations, vous rédigerez un rapport dans lequel vous définirez un plan stratégique visant à rendre l'entreprise plus concurrentielle en réduisant le temps de production.

Questions 3.2

1. Quels sont les principaux enjeux de l'entreprise? Décrivez l'environnement interne et externe.

....

....

....

....

....

2. Quelles solutions proposez-vous?

....

....

....

....

....

3. Quelles sont les étapes clés permettant de mettre en place la ou les solutions que vous proposez?

....

....

....

....

....

4. À plus long terme, quelles autres activités de la gestion des ressources humaines seront touchées par cette stratégie?

....

....

....

....

....

4 Planification des ressources humaines

4.1. Une planification difficile...

L'entreprise *BoulonETcrou* vit actuellement une dure période. L'entreprise de la Montérégie fait actuellement face à une crise sur le plan de la demande. *BoulonETcrou* existe depuis près de 60 ans et fabrique des boulons... et des écrous. Leurs produits sont utilisés à travers tout le Canada. Ils se vendent notamment dans toutes les quincailleries et sont utilisés dans de grands projets industriels.

La crise que vit aujourd'hui l'entreprise est due à l'addition de plusieurs facteurs. La concurrence américaine se fait toujours plus féroce et celle-ci réussit maintenant à vendre le même produit à moindre coût. De plus, le genre de projets industriels auxquels *BoulonEtcrou* soumissionnait sont aujourd'hui moins portés à utiliser le bois comme matière première, mais plutôt du fer ou de l'aluminium. Or, les boulons et les écrous sont moins utilisés avec ces matériaux et sont plutôt remplacés par des techniques telles que la soudure. La demande ayant fortement diminué, l'entreprise doit prendre des mesures draconiennes afin d'assurer sa pérennité.

BoulonETcrou a donc décidé de remplacer ses machines, qui devenaient désuètes, par une chaine de montage plus sophistiquée, où une partie du travail autrefois faite par des employés sera maintenant exécutée directement par la machine. De plus, ces machines seront installées dans un nouvel établissement, plus petit, où l'entreprise déménagera d'ici trois mois.

Pour Monique, la directrice RH de l'entreprise, ces changements dans la production impliquent de revoir les tâches des employés. Les superviseurs, qui devaient autrefois s'assurer que les employés avaient tous les outils nécessaires pour effectuer leurs tâches, vont désormais plutôt exercer un rôle-conseil et devront davantage gérer les équipes de travail. Ces équipes seront dorénavant formées d'une grande proportion de professionnels, tels que des mécaniciens industriels et des programmeurs. Ces derniers devront cependant apprendre à travailler avec les nouvelles machines. Les postes les plus touchés par les changements seront ceux des ouvriers. Ces employés devaient autrefois déplacer des boîtes, faire de l'emballage, assembler des éléments… Or, une grande partie de ce travail sera automatisé, ce qui signifie que les postes d'ouvriers se résumeront à la supervision du bon fonctionnement des automates.

Tous ces changements impliquent donc de revoir la planification des RH. En commençant ses analyses, Monique est bien consciente que l'entreprise devra assurément remercier un certain nombre d'employés. Cependant, le directeur général de l'entreprise retarde ce moment depuis que la santé financière de l'entreprise décline, car il est très attaché à ses employés et appréhende une détérioration générale du climat de travail. Ainsi, Monique a d'abord récolté les informations pertinentes, puis a suivi les autres étapes nécessaires à la planification des RH.

L'entreprise embauche actuellement 220 employés et, selon les prévisions, seulement 130 seront nécessaires. De façon globale, l'entreprise compte trois grandes catégories d'employés, soit 20 superviseurs, 80 professionnels et 120 ouvriers. Suivant les changements, l'entreprise aura toujours besoin de l'ensemble de ses superviseurs. Par contre, seulement 60 professionnels seront nécessaires ainsi que 50 ouvriers.

Normalement, le personnel connait un taux de départs volontaires de 7,5 % chez les ouvriers et de 5 % pour les autres catégories d'emploi. Ce taux de départs volontaires n'inclut pas les employés qui partent à la retraite, c'est-à-dire un superviseur, trois professionnels et 2,5 % des ouvriers. Parmi les professionnels, deux d'entre eux sont des candidats potentiels pour des postes de superviseurs. En effet, les superviseurs et les directeurs ont relevé la compétence ainsi que le potentiel de ces deux professionnels. Les dernières rencontres d'évaluation du rendement ont permis d'interroger ces deux candidats sur l'intérêt qu'ils portaient à une éventuelle promotion. Leur réponse a été positive dans les deux cas.

Après plusieurs jours à revoir la planification de la main-d'œuvre, la directrice a finalement élaboré un plan d'action. Bien sûr, ce plan d'action prévoit plusieurs stratégies afin de minimiser les conséquences sur le climat de travail.

Questions 4.1

1. Nommer deux objectifs de la planification des RH.

2. Quelles sont les étapes du processus de gestion prévisionnelle des ressources humaines?

3. Quels obstacles pourrait rencontrer Monique dans sa planification des ressources humaines?

4. Dans ce cas-ci, quelle est l'action que doit prendre Monique par rapport au nombre d'employés actuellement en poste? Quelle est la différence entre une mise à pied, un licenciement et un congédiement?

....

....

....

....

....

....

5. Quelles actions proposez-vous à l'organisation afin de diminuer les impacts sur le climat de travail?

....

....

....

....

....

....

6. Quels sont les cinq niveaux que peut prendre la planification de la relève? À quel niveau semble être l'organisation actuellement?

....

....

....

....

....

....

Exercice 4.1. Planification des effectifs chez *Mademoiselle Propre*

Mademoiselle Propre est une entreprise du secteur de la production de produits ménagers. L'usine compte trois divisions : les produits du quotidien (savon à lessive, savon à lave-vaisselle, etc.), les produits de nettoyage pour la maison (produits pour la douche, la toilette, les planchers, etc.), et l'embouteillage et l'emballage. Voici la production annuelle de l'entreprise :

Produits du quotidien : 87 500 litres.
Produits de nettoyage pour la maison : 75 000 litres.

Actuellement, la compagnie embauche 175 employés à la division des produits du quotidien, 125 employés à la division des produits de nettoyage et 40 employés à l'embouteillage et l'emballage. L'entreprise compte également une équipe de 25 superviseurs.

Pour la prochaine année, *Mademoiselle Propre* prévoit une hausse de productivité de 5 % dans l'ensemble de ses divisions, sans toutefois envisager d'augmentation quant à sa production en litres. La direction compte n'avoir désormais besoin que de 30 employés d'embouteillage et d'emballage. Enfin, l'entreprise prévoit augmenter le nombre de ses superviseurs de 30 %.

Les taux de roulement des différentes divisions de l'entreprise sont de 12 % aux produits du quotidien, de 20 % aux produits de nettoyage et de 15 % à l'embouteillage et l'emballage. Finalement, chez les superviseurs, on observe un taux de roulement de 8 %.

Chaque année, 2 % des employés de la division des produits du quotidien peuvent devenir superviseurs, alors que 5 % des employés de la division des produits de nettoyage se voient offrir cette promotion. Les employés de l'embouteillage et de l'emballage ne peuvent occuper d'autres postes au sein de l'entreprise.

Lors de la résolution, arrondissez au nombre le plus près (≥0,5 = 1).

Veuillez remplir le tableau suivant, puis faire état du déséquilibre observé.

Plan d'effectif pour l'entreprise *Mademoiselle Propre*					
	Nombre actuel de postes	Départs/ Promotions	Effectif disponible dans 1 an	Nombre d'employés requis dans un 1 an	Déséquilibre
Superviseurs					
Produits du quotidien					
Produits de nettoyage					
Emballage					
Total					

Exercice 4.2. Planification des effectifs chez *Spa-Propre*

Spa-Propre est une entreprise de conception et d'assemblage de spas haut de gamme. Leur production annuelle est de 20 000 spas. Chaque employé occupant un poste d'assembleur peut, annuellement, produire 160 spas. Pour cinq assembleurs, on compte un employé de soutien qui s'occupe du transport des fournitures et d'autres tâches nécessaires au bon fonctionnement de l'usine. De plus, le pourcentage de mécaniciens d'usine par rapport au nombre d'assembleurs est de 12 %. Finalement, le nombre de superviseurs représente 8 % du nombre d'employés de production (soit les assembleurs, les employés de soutien et les mécaniciens).

Le taux de roulement dans l'usine est de 15 % pour les employés d'assemblage et les employés soutien, de 10 % pour les mécaniciens et de 20 % chez les superviseurs.

Chaque année, cinq mécaniciens obtiennent des promotions et deviennent superviseurs. Habituellement, deux employés de soutien suivant une formation en gestion terminent leur programme et obtiennent leur promotion à titre de superviseurs.

L'année prochaine, l'entreprise prévoit augmenter sa production de 25 % tout en conservant la même productivité chez les assembleurs. Le nombre d'employés de soutien requis dans un an diminuera de 12 % et le nombre de mécaniciens diminuera de 13 %. Finalement, le nombre de superviseurs requis dans un an augmentera de 30 %.

Lors de la résolution, arrondissez au nombre le plus près ($\geq 0,5 = 1$).

Veuillez remplir le tableau suivant puis faire état du déséquilibre observé.

Plan d'effectif pour l'entreprise *Spa-Propre*					
	Nombre actuel de postes	**Départs/ Promotions**	**Effectif disponible dans 1 an**	**Nombre d'employés requis dans un 1 an**	**Déséquilibre**
Assembleurs					
Employés de soutien					
Mécaniciens					
Superviseurs					
Total					

5 La dotation

Partie 1: Analyse des postes et recrutement

5.1. Commis aux pièces recherché

Pour les fabricants d'électroménagers, il est courant de faire appel à la sous-traitance pour assurer une partie du service après-vente, soit l'entretien et la réparation des appareils sous garantie. Ces sous-traitants peuvent être des travailleurs autonomes ou des PME spécialisées dans la réparation d'appareils domestiques. Toute sa carrière, Yvon Brisé travailla à son compte dans ce domaine. Il y a trois ans, il décida de créer sa propre compagnie de réparation, qu'il nomma *Répartout*.

Aujourd'hui, *Répartout* est formée de six techniciens en électroménager et dessert la grande région de Montréal. La compagnie possède un pied-à-terre sur l'île de Montréal, où se trouvent un bureau et un atelier. Quatre des plus grands fabricants d'électroménagers font appel à eux pour assurer une partie de leurs services de réparation. Pour chaque demande de réparation, les fabricants transmettent un appel de service à M. Brisé. Ce dernier se charge alors d'en faire la répartition auprès de ses six techniciens, selon la zone géographique qui leur est attitrée. L'entreprise embauche également une adjointe administrative qui s'occupe de faire les rapports auprès des fabricants une fois que les appels de service sont complétés.

Voyant la demande augmenter, M. Brisé souhaiterait engager plus de techniciens. Or, avant de franchir cette étape, il est essentiel qu'il embauche du personnel de soutien. En effet, il est devenu difficile pour lui de combiner les rôles de coordonnateur des techniciens et de responsable des stocks. Ces stocks consistent en une réserve de pièces couramment utilisées par les techniciens. Ainsi, une fois un problème diagnostiqué, les techniciens peuvent y trouver les pièces dont ils ont besoin pour compléter l'appel de service, évitant de cette façon les délais de livraison. Pour accélérer le travail des techniciens, M. Brisé a créé le poste de commis aux pièces. Depuis, aucun candidat n'est resté en poste plus de 2 mois...

La première personne ayant été embauchée pour pourvoir ce poste a dû subir un congédiement administratif avant la fin de sa période de probation. M. Brisé s'est rapidement rendu compte que le fait que le candidat soit unilingue francophone l'empêchait d'accomplir des tâches importantes. En effet, le commis aux pièces est appelé à téléphoner chez des fournisseurs et la majorité d'entre eux ne parle que l'anglais. M. Brisé devait donc constamment faire ces appels lui-même, ce qui occupait une grande partie de son temps au lieu de le libérer. D'autant plus que le candidat ne démontrait aucun intérêt pour apprendre l'anglais.

La seconde personne recrutée a quitté son poste volontairement après un mois. En donnant sa démission, il expliqua que lors de l'entrevue, M. Brisé lui avait dit qu'il serait responsable des stocks et des commandes de pièces pour les techniciens. Or, après sa semaine de formation, on lui demandait de faire « des tâches de concierge » telles que passer le balai ou faire du rangement dans l'atelier. Il s'attendait à avoir de l'autonomie dans ses tâches, alors qu'il se sentait plutôt au service de M. Brisé et des techniciens.

Le troisième candidat a occupé le poste pendant deux mois. Après un peu plus d'un mois, il s'est mis à questionner M. Brisé sur les possibilités d'avancement associées à son poste. M. Brisé lui expliqua que sans expérience en service à la clientèle ni en réparation d'électroménager, il ne pourrait occuper le poste de technicien.

M. Brisé a également tenté sa chance avec un quatrième candidat. Par contre, celui-ci n'est même pas resté une seule journée. L'entrevue avait eu lieu dans un café à proximité de l'entreprise et le candidat n'avait pas compris qu'il devrait travailler dans un atelier. Il s'attendait plutôt à travailler dans un bureau, sur un ordinateur.

M. Brisé est découragé. Il croyait qu'il serait facile de recruter un commis aux pièces, puisqu'il ne demandait aucune exigence spécifique. Dans les derniers mois, il a perdu beaucoup de son temps sur ce dossier : non seulement à la recherche et à la formation des candidats, mais également à occuper le poste lorsqu'il n'y avait personne pour faire ces tâches. Il se demande ce qu'il a fait de mal dans son processus de recrutement.

Questions 5.1

1. Quelles sont les étapes préliminaires aux processus de recrutement?

....

....

....

....

....

2. Quelle étape du processus de dotation a été négligée? Habituellement, comment peut-on procéder pour accomplir cette étape?

....

....

....

....

....

3. Quelles erreurs ont été commises pour chaque candidat embauché par M. Brisé?

....

....

....

....

4. Quelles informations devraient être mentionnées dans l'offre d'emploi?

....

....

....

....

5.2. ÇaRoule aux États-Unis

ÇaRoule est une entreprise du secteur des équipements de sports et loisirs. Dans ses débuts, il y a près de 30 ans, cette entreprise concevait et fabriquait des vélos standards, mais a récemment dû réorienter ses activités. En effet, depuis les dix dernières années, le secteur des équipements de sport et loisirs a connu une croissance en raison des nombreuses campagnes de sensibilisation pour un mode de vie actif. Les grandes entreprises ont fait l'acquisition de plus petites compagnies afin d'accroître leurs parts de marché. Les petites entreprises se démarquant par leur spécialisation ont quand même réussi à conserver une place importante sur le marché. C'est ce qu'a fait l'entreprise ÇaRoule, grâce à la création d'un nouveau modèle de vélo plus sophistiqué, idéal pour les adeptes du plein air et de l'entraînement intense.

Le propriétaire de ÇaRoule, M. Guy Dhon, est fier d'être le créateur d'un modèle de vélo nouveau genre intégrant des capteurs de dépenses énergétiques directement sur le guidon du vélo. Les vélos sont également munis d'un écran tactile où sont diffusées diverses informations utiles pour le cycliste telles que son pouls et sa vitesse. Il s'agit d'une innovation fort appréciée par les consommateurs, puisque le matériel électronique est conçu pour ne pas brimer l'aérodynamisme du vélo tout en étant protégé contre les intempéries.

L'usine de fabrication de M. Dhon est située en Montérégie, où une quinzaine d'employés travaillent à l'assemblage de vélos. L'équipe de production est soutenue par une dizaine d'employés dans les bureaux. M. Dhon compte également sous sa direction cinq représentants de commerce travaillant sur la route qui desservent chacun un territoire donné à travers l'est et l'ouest du Canada. Les responsabilités des représentants sont, entre autres, d'établir le contact avec les magasins de sport spécialisés afin de conclure des ventes, de faire le suivi des commandes, ainsi que de dénicher de nouveaux points de vente. Une bonne relation entre les représentants et leurs clients est primordiale pour le succès de l'entreprise. M. Dhon est très satisfait du travail de ses vendeurs, dont deux cumulent près de 15 ans d'ancienneté. Les trois autres représentants sont des jeunes diplômés d'écoles de commerce. Ceux-ci ont été embauchés dans les dernières années, puisque la nouvelle spécialisation de l'entreprise nécessitait également des stratégies de ventes plus dynamiques.

Auparavant, les techniques de vente et de marketing de l'entreprise ciblaient seulement les commerçants. Or, afin d'augmenter la demande de son produit, M. Dhon adopta une nouvelle stratégie qui consistait à faire connaître son produit directement aux consommateurs de produits de plein air. Pour ce faire, il présenta son nouveau vélo à de nombreux événements liés au plein air tels qu'au *Salon des aventures en plein air de Toronto* et au *Jour Démo Plein Air ExpoCycle de Bromont.* Mais l'événement le plus marquant pour M. Dhon fut le *Vermont Festival of the Great Outdoor,* puisqu'il y remporta le prix du produit le plus innovateur. Ce prix lui valut un article dans un journal local du Vermont. M. Dhon décida d'utiliser cette nouvelle visibilité à bon escient en approchant ensuite des commerçants de la région.

Confiant que son produit serait bien reçu par la population du Vermont, M. Dhon commença à signer quelques contrats avec des commerçants. Il constata rapidement qu'il y avait bel et bien une demande pour son produit dans cette région. Or, M. Dhon n'a ni le temps de gérer cette nouvelle clientèle, ni le temps pour approcher tous les autres commerçants potentiels. Pour M. Dhon, l'heure est à la réflexion. Sa principale préoccupation est de trouver une façon d'établir et de maintenir le contact avec les commerces de cette région. Idéalement, il souhaiterait avoir un représentant attitré à ce territoire. M. Dhon se demande comment trouver la personne appropriée pour accomplir ce mandat d'envergure.

Questions 5.2

1. Quelle stratégie de dotation M. Dhon devrait-il adopter pour pourvoir le nouveau poste de représentant? Justifiez.

....

....

....

2. Quelle technique de recrutement devrait-il employer pour trouver les candidats potentiels? Justifiez.

....

....

....

3. Quel devrait être le profil recherché dans l'offre d'emploi? Justifiez.

....

....

....

Exercice 5.1. Écrire une description de poste et une offre d'emploi

Dans cet exercice, vous devez d'abord écrire une **description de poste** pour un poste d'adjointe ou d'adjoint administratif pour le directeur des ventes de la division Québec de l'entreprise canadienne *Good-Food*. La titulaire actuelle de ce poste est Madame Justine Grondin. Utilisez l'information fournie et assurez-vous de respecter les règles de base d'une bonne description de poste. Utilisez des verbes d'action et soyez précis!

En second lieu, vous devrez créer une **offre d'emploi** pour ce même poste. Choisissez bien les informations à y inclure. Notez que *Goodfood* est une entreprise du secteur de la transformation alimentaire qui produit et vend plusieurs types d'aliments pour les grandes chaines de distributeurs. L'entreprise accorde une grande importance à l'amélioration continue et cherche à s'entourer de personnes minutieuses et aimant le travail d'équipe.

Dossier de Madame Justine Grondin, adjointe administrative de direction.

Fourni par le service des ressources humaines.

Ancienneté dans ce poste : 10 ans

Salaire à l'entrée : 35 000 $ par année

Salaire actuel : 42 000 $ par année

Supérieur immédiat : M. Magne, directeur des ventes

Salaire des secrétaires (sauf domaine juridique et médical (1241))[1] ,

Emploi Québec, ministère de l'Emploi et de la Solidarité sociale.

Revenu annuel moyen d'emploi à temps plein en 2005 à Montréal: 33 000 $

Salaire horaire à l'entrée :

Premier quartile (ou tranche inférieure) : entre 14,00 $ et 15,99 $

Médian (au Québec 2009-2011) : entre 18,00 $ et 19,99 $

Troisième quartile (ou tranche supérieure) : entre 20,00 $ et 21,99 $

---

[1] Emploi Québec, Ministère de l'Emploi et de la Solidarité sociale. « Métiers et professions, Secrétaires (sauf domaines juridique et médical) (1241), salaires et statistiques » [En ligne].
http://www.imt.emploiquebec.net/mtg/inter/noncache/contenu/asp/mtg122_statprof_01.asp?lang=FRAN&Porte=1&cregncmp1=06&P-T4=53&aprof=1241&type=02&PT2=21&pro=1241&cregn=06&PT1=1&PT3=10&motCNP=1241 (consulté le 5 février 2013)

Compte rendu intégral de l'entrevue avec Madame Grondin
Description d'une journée de travail typique

Mon nom est Justine Grondin. J'occupe le poste d'adjointe administrative pour M. Magne depuis 10 ans. Avant d'avoir cet emploi, j'ai travaillé comme secrétaire du bureau pendant 3 ans puis comme adjointe administrative pour le PDG d'une PME pendant 5 ans. J'ai une technique en bureautique que j'ai obtenue il y a près de 20 ans. J'ai aussi fait un certificat en administration à temps partiel, ce qui m'a permis de mieux comprendre les entreprises. Voici pour ce qui est de ma journée de travail type :

J'arrive au bureau le matin à 8h00. Je passe alors une quinzaine de minutes à regarder les courriels et le courrier. Je regarde ensuite l'agenda de M. Magne, mon patron. Il arrive autour de 8h30. Je lui fais alors un rappel de son agenda de la journée et lui fais part des courriels importants qu'il a reçus.

Un minimum d'une fois par semaine, M. Magne a une réunion avec les autres directeurs. Je dois alors assister à cette réunion et prendre des notes. Ainsi, je suis en mesure de faire un suivi des documents à transmettre à tout le monde avant et après les réunions.

Puisque mon enfant est au primaire et qu'il vient diner à la maison, je colle mes deux pauses de la journée à mon heure de diner et je peux donc rentrer chez moi et préparer son repas.

Tout au long de la journée, j'accueille les personnes que M. Magne reçoit. Je dois également filtrer ses appels et prendre ses messages lorsqu'il est absent. Des fois, des partenaires de l'Ontario doivent venir rencontrer M. Magne. Lorsque ceux-ci n'ont pas d'adjointe administrative, c'est moi qui m'occupe de planifier leur transport et l'hébergement de ceux-ci.

Durant toute la journée, je peux gérer mon temps. Je dois tout en m'assurant de faire les suivis des dossiers au moment approprié. Je dois téléphoner aux clients de M. Magne et convoquer les personnes qu'il souhaite rencontrer. Les formulaires de ventes des clients les plus importants de M. Magne doivent aussi être saisis dans le logiciel de ventes.

Je dois également réviser et mettre en page dans la suite Office certains documents qu'a produits M. Magne. Je suis aussi responsable de l'organisation de ses dossiers, tant dans les classeurs que dans le logiciel de gestion interne.

Je quitte le bureau à 17 h. Lorsque nous ne sommes pas dans une période de pointe, je peux partir à midi les vendredis.

Habituellement, je n'ai pas le temps de m'ennuyer. Dans les périodes de pointe, je dois faire attention de ne pas me surmener. L'an passé, j'ai cumulé tendinite après tendinite jusqu'à ce qu'un ergonome vienne ajuster mon poste de travail et qu'il m'explique les postures à éviter.

Notes d'entrevue avec le directeur des ventes, M. Magne,
supérieur hiérarchique de l'adjointe administrative.

Question : Quelles sont les principales tâches et responsabilités de Madame Grondin?

Je demande souvent à Madame Grondin de rédiger les procès-verbaux des réunions auxquelles nous assistons. Mme Grondin doit également tenir mon carnet de rendez-vous, gérer mes courriels et me transmettre les messages importants. Elle veille à l'accueil des personnes que je reçois et s'assure que je ne manque de rien côté matériel de bureau.

Question : Quelles sont vos attentes par rapport au travail de Madame Grondin?

J'attends d'elle une attitude professionnelle, puisqu'elle communique souvent avec mes clients externes. Je lui fais confiance quant à la mise en page de mes rapports et à la mise à jour des différents documents, je m'attends donc à de bonnes capacités rédactionnelles. Il est important qu'elle soit organisée pour deux, puisque, souvent, moi-même je ne le suis pas!

1. Description de poste

2. Offre d'emploi

6 La dotation

Partie 2 : Sélection, accueil et intégration

6.1. Onchoffepaldehor recrute

Marie Lachance est très fébrile. Elle vient de commencer un stage de quatre mois qu'elle a obtenu dans le cadre de ses études en gestion des ressources humaines. L'entreprise qui l'a embauchée s'appelle *Onchoffepaldehor,* un manufacturier et vendeur de portes et fenêtres. La compagnie compte trois établissements, soit une usine d'assemblage et deux centres de services. L'usine embauche une cinquantaine d'employés et les centres de services disposent chacun d'environ 25 employés, soit : des conseillers en vente, du personnel administratif et trois équipes de trois installeurs sur la route. L'usine ainsi que le premier centre de services se situent à Rimouski, d'où le personnel administratif et la direction veillent au bon fonctionnement de l'entreprise. Le second centre de services est situé à Québec et comprend également un entrepôt pour la marchandise destinée à cette région. En plus d'offrir ses services à la clientèle résidentielle, *Onchoffepaldehor* est le fournisseur d'une des plus importantes entreprises de maisons préusinées dans la région de Québec, ce qui en fait un acteur de premier plan dans l'industrie des portes et fenêtres.

Ces dernières années, *Onchoffepaldehor* a connu une croissance grâce à sa spécialisation dans les fenêtres à haut rendement écoénergétique. Certains de ses modèles offrent un rendement deux fois supérieur à la norme d'excellence reconnue. Les modifications qu'a connues le Code du bâtiment relativement à l'efficacité énergétique des habitations, et les subventions qu'accorde le gouvernement aux particuliers pour l'installation de fenêtre à haut rendement énergétique ont été des tremplins pour cette entreprise. Étant aujourd'hui considérée comme un leader de l'industrie, l'entreprise n'a jamais connu un aussi haut chiffre d'affaires.

La seule ombre au tableau est le vieillissement de la main-d'oeuvre et les nombreux départs à la retraite. La première vague de départs vécue il y a quelques années n'avait pas créé de remous, puisque la venue d'une nouvelle technologie avait nécessité une diminution des effectifs, laquelle se fit par attrition naturelle. Actuellement, plusieurs employés partant à la retraite ont besoin d'être remplacés. De ce fait, l'entreprise commence à se soucier de sa relève. Compte tenu de la croissance de l'entreprise et des conséquences du vieillissement de la main-d'œuvre, l'entreprise doit revoir certaines de ses pratiques de dotation.

C'est ainsi que, sous la supervision de la directrice des ressources humaines, Marie devra tenter d'améliorer les politiques et les stratégies de recrutement de l'entreprise. Avant tout, il est urgent de procéder à l'embauche du personnel manquant pour plusieurs quarts de travail. Compte tenu de la situation de l'entreprise, il est évident que ces postes seront tous pourvus à l'externe. Marie doit donc déterminer les méthodes de recrutement à utiliser pour chacun de ces postes.

Les premiers postes à pourvoir sont ceux de trois assembleurs pour l'usine. Les besoins pour ces postes sont particulièrement urgents. Dans le cadre de leur travail, les assembleurs doivent procéder à l'assemblage des fenêtres à différents postes de la chaîne de production. Ils peuvent aussi se trouver à l'emballage ou s'occuper de charger et décharger les camions. Ce poste ne requiert pas de compétence ou d'exigence particulière à l'exception d'un secondaire 5.

En raison de départs à la retraite, l'entreprise est aussi à la recherche de deux installateurs en chef; un pour chacun des deux centres de services. Sur le site internet du « Comité sectoriel de la main-d'œuvre des industries des portes et fenêtres, du meuble et des armoires de cuisine », Marie a constaté que le DEP en *Installation et fabrication de produits verriers*, duquel les candidats doivent être diplômés, s'offre à Québec et à Laval. Le poste d'installateur en chef est particulier. Son détenteur doit gérer une équipe formée de deux installateurs apprentis. Il a aussi la responsabilité d'organiser la journée de travail et de s'assurer de la qualité du travail effectué. Il doit donc cumuler un minimum de 5 années d'expérience dans le domaine et au moins 1 à 2 ans d'expérience dans un travail requérant une grande autonomie.

Le poste de conseiller est aussi grandement touché par les départs à la retraite. Pour l'instant, le centre de services de Rimouski n'a qu'un poste à pourvoir, mais dans la prochaine année, celui de Québec subira 3 départs à la retraite. Dans les cinq années à venir, les deux centres connaitront en moyenne 6 départs. Les plus récemment embauchés avaient de l'expérience dans la vente et conseil et ont été recrutés parce qu'ils étaient de bonnes connaissances des conseillers actuels.

Le dernier poste à pourvoir est celui de VP aux finances. Ce poste est très important pour l'entreprise puisque son titulaire doit gérer toute la comptabilité, la trésorerie et la fiscalité de l'organisation. Il est essentiel que la personne qui occupe ce poste détienne un titre comptable reconnu et qu'elle cumule un minimum de 10 années d'expérience à titre de cadre.

Questions 6.1

1. Quelle méthode de recrutement Marie devrait-elle utiliser pour chacun de ces postes?

2. Quelle stratégie de recrutement l'entreprise devrait-elle mettre en place à moyen et long terme afin d'alimenter un bassin de candidats et d'assurer la relève dans son organisation?

3. Quelles seront les étapes suivantes dans le processus de sélection lorsque Marie aura reçu les candidatures?

....

....

....

....

....

....

....

4. Quels instruments de sélection pourraient être utilisés pour chacun des postes à pourvoir?

....

....

....

....

....

....

....

....

6.2. Une sélection en crise...

Onveutonbien est un centre de crise qui vient en aide à des personnes présentant des problèmes psychologiques, de dépendance ou d'insertion sociale. L'organisme embauche une soixantaine d'employés qui travaillent sur différents sites offrant des services spécifiques. On retrouve notamment un centre de désintoxication, un centre d'appel pour les victimes ou les témoins de situations de crise, une équipe mobile d'intervenants en gestion de crise et en sensibilisation, et, finalement, deux centres d'hébergement pour les individus ayant besoin d'un soutien constant. Le centre de crise embauche donc des intervenants psychosociaux, des toxicologues et des psychologues, en plus du personnel de soutien et d'entretien des immeubles.

Marie vient d'être embauchée au centre *Onveutonbien* pour s'occuper des activités de gestion des ressources humaines. Avant son arrivée, c'était le comptable, M. Yvon Tedday, qui s'occupait de la gestion des ressources humaines avec l'assistance d'une commis comptable. Or, compte tenu du taux de roulement élevé de 25 %, la directrice générale de *Onveutonbien* a jugé pertinent de demander au conseil d'administration de créer un poste pour un conseiller en ressources humaines qui travaillerait trois jours par semaine.

Dès son entrée en poste, Marie a dû procéder rapidement au remplacement d'un intervenant du centre de désintoxication. Au moment de procéder à la sélection, Marie était débordée par un dossier de santé-sécurité au travail qui allait l'occuper pour les prochaines semaines. Faisant confiance à leur expérience, Marie laissa M. Tedday et sa commis procéder à la sélection. Une fois le processus terminé, Marie demanda à M. Tedday de lui faire part de la procédure utilisée. Ce dernier lui expliqua que sa commis commençait par jeter un bref coup d'œil aux curriculum vitae reçus afin d'éliminer ceux n'ayant pas l'air soignés ou n'étant pas accompagnés d'une lettre de présentation. Sur les 21 candidatures reçues, 17 passèrent à l'étape suivante, soit l'entrevue.

La grille d'entrevue était pondérée et divisée en deux sections : les caractéristiques personnelles, pour lesquelles la pondération sur dix accordait jusqu'à sept points, ainsi que les aptitudes comportementales, qui valaient jusqu'à trois points. La commis questionnait d'abord les candidats sur leur âge, le nombre d'années d'études et le nombre d'années d'expérience. La seconde section consistait à poser des questions sur les expériences vécues et les comportements adoptés lors de situations de travail d'équipe ou de gestion de crise. L'entretien durait tout au plus 30 minutes par candidat. Les huit meilleurs candidats étaient convoqués pour une série de tests, à condition d'avoir obtenu un minimum de 6 points pour la première section de l'entrevue et de 2 points pour la deuxième.

Lors de la seconde convocation, les participants devaient passer un test psychométrique visant à mesurer leur stabilité émotionnelle, ainsi qu'un test de simulations d'appels téléphoniques de situations de crise. Pour ce dernier test, M. Tedday jugea 4 des participants et la commis jugea les 4 autres. L'évaluation reposait sur l'appréciation globale de la performance du candidat. Aucune grille d'évaluation n'était prévue à cet effet. Ces deux tests avaient une valeur de 15 points chacun. Les 3 meilleurs candidats étaient soumis à des tests sanguins afin de s'assurer qu'il n'y ait pas de trace de drogue dans leur sang. En effet, la politique du centre exigeait des intervenants qu'ils soient sobres en tout temps.

Puisqu'aucun des trois candidats n'échoua aux tests sanguins, la commis chercha sur internet le numéro de téléphone des anciens employeurs des candidats. Elle demanda ensuite à parler à l'ancien superviseur des candidats afin d'avoir leur opinion concernant le rendement au travail de ses derniers. Le candidat dont l'ancien superviseur avait les meilleurs commentaires fut sélectionné.

Lorsque Marie eut appris comment le processus de sélection avait été effectué, elle ne tarda pas à signaler à M. Tedday les erreurs qui s'y étaient glissées. Elle le rassura en lui disant qu'elle reverrait le processus afin qu'il soit exempt d'erreurs. Après réflexion, Marie se dit que bien que le taux de roulement élevé chez les intervenants puisse s'expliquer par le milieu difficile dans lequel ils travaillent, il est probable que les nombreuses failles présentes dans le processus de sélection y contribuent également.

Questions 6.2

1. Quel type d'approche est utilisé par M. Tedday? (Voir les choix de réponse) Expliquez.

> - Approche à prédicteur unique
> - Approche à prédicteurs multiples :
>   • compensatoires,
>   • non compensatoire à seuils multiples,
>   non compensatoire à étapes multiples;
> - Approche combinée.

2. Quels sont les principaux problèmes du processus de sélection utilisé par M. Tedday?

3. Sur le plan juridique, quels sont les enjeux auxquels il faudrait porter une plus grande attention?

6.3. Recherche homme d'expérience

Hélène est complètement estomaquée! Après bientôt 2 ans à travailler pour la compagnie *BrancheToi,* elle n'aurait pas cru que son patron puisse faire preuve d'autant d'immaturité. La situation est la suivante : Hélène est conseillère RH pour une compagnie de construction spécialisée en électricité dans le secteur commercial et résidentiel. De façon générale, les contrats qu'obtient la compagnie consistent en l'installation de réseaux électriques lors de la construction d'immeubles commerciaux ou de réparations d'installations électriques chez des particuliers. Suite à la publication d'une offre d'emploi pour un poste d'électricien chef d'équipe, Hélène a convenu que le candidat le plus approprié pour occuper le poste serait une certaine Germaine Rock.

Le poste en question exige un certificat de compétence-compagnon reconnu par la Commission de la construction du Québec (CCQ) et un minimum de cinq ans d'expérience à titre de chef d'équipe. Madame Rock cumule huit années d'expérience à titre de chef d'équipe, ce qui représente 3 à 4 années de plus que les autres candidats ayant passé une entrevue. De plus, ses références étaient excellentes et vantaient même le leadership de Madame Rock.

Le problème, c'est qu'au moment où Hélène a annoncé à son patron, Monsieur Jean Tenrien, qu'elle avait trouvé leur nouvel électricien chef d'équipe, celui-ci a fait tout un plat du fait qu'il s'agissait d'une femme. Le principal argument de Monsieur Tenrien était qu'une femme ne serait pas assez forte pour effectuer le travail, puisqu'il faut souvent transporter du matériel pour effectuer les travaux. Selon lui, la cadence de travail sera ralentie si la candidate demande toujours de l'aide aux manœuvres. Hélène rétorqua que les années d'expérience de Madame Rock devraient lui prouver qu'elle est capable de faire ce travail. Monsieur Tenrien a alors mentionné plusieurs arguments qui, selon Hélène, ne faisaient que démontrer à quel point il était sexiste et borné. Par exemple, il évoque la possibilité de se retrouver encore sans chef d'équipe si Madame Rock tombait enceinte, et il ajoute qu'une femme ne pourra pas faire preuve d'assez de leadership pour mener une équipe d'hommes. De plus, certains chantiers ne bénéficiant pas des installations sanitaires nécessaires pour une femme, Monsieur Tenrien craint qu'il ne soit trop compliqué de gérer les affectations de Mme Rock en conséquence.

M. Tenrien exigea donc d'Hélène qu'elle refuse la candidature de madame Rock, sous prétexte qu'elle ne répondrait pas au critère d'embauche de la force physique, critère qui, selon lui, est essentiel pour accomplir les tâches de ce poste. Il lui mentionna même qu'il serait prêt à la recommander à un ami qui entreprise en est aussi entrepreneur en électricité, mais qui ne fait que du résidentiel, ce qui est moins exigeant que le travail sur les chantiers de construction. Hélène en eu assez de cette discussion, et décida de quitter le bureau de son patron.

Vu la résistance dont fait preuve son patron, Hélène comprend pourquoi, en 2011, les femmes ne représentaient que 1 % de tous les électriciens du Québec[2]. Déjà si peu de femmes complètent leurs études pour ce type de métier, pourquoi faudrait-il, en plus, leur nuire en refusant de les embaucher! En 2004-2005, les femmes ne représentaient que 3 % des diplômés des programmes en électricité au Québec[3].

Hélène compte bien réussir à convaincre son patron qu'une femme ne sera pas nécessairement un boulet pour la compagnie. Elle se met donc tout de suite à la préparation d'arguments afin que M. Tenrien revienne sur sa décision.

Questions 6.3

1. Quels sont les recours dont pourrait bénéficier Madame Rock si elle apprenait qu'elle était victime de discrimination? Quelle pourraient en être les conséquences pour l'entreprise?

2. Quels éléments l'entreprise doit-elle s'assurer de respecter au sujet du critère d'embauche que tente d'imposer M. Tenrien?

---

[2] Commission de la construction du Québec (2011-2012) «Électricien» *Carrière construction*. Pages 28-29
[3] Femmes regroupées en options non traditionnelles. (2008) *Construire avec elles, sommaire du rapport de recherche*. 14 pages.

3. De quel type de discrimination fait preuve M. Tenrien? De façon générale, quel type de discrimination subissent les femmes dans le secteur de la construction?

....

....

....

....

4. Si M. Tenrien accepte l'embauche de Madame Rock, comment Hélène pourrait-elle assurer à celle-ci un accueil adéquat ainsi qu'une bonne intégration dans le milieu de travail afin d'éviter de la résistance de la part des employés?

....

....

....

....

5. Quels sont les autres motifs de discrimination interdits par la Charte des droits et libertés de la personne du Québec?

....

....

....

....

Exercice 6.1. Sélection d'un candidat

Vous souhaitez pourvoir un poste de chef de projet dans le service de développement marketing d'une institution financière appelée *Banque Provinciale*. L'offre d'emploi présentée ci-dessous vous permettra d'analyser les compétences recherchées pour ce poste.

1. Après avoir consulté l'offre d'emploi, établissez dans le tableau prévu à cet effet une grille d'évaluation où vous inscrirez six critères de sélection pertinents pour le poste en question. Assurez-vous de pondérer l'importance de chacun de ces critères.

2. Évaluer ensuite les cinq curriculum vitae ci-dessous à partir des critères de votre grille.

3. Finalement, choisissez trois candidats à convoquer en entrevue de sélection.

Chef de projet-développement marketing[4]

La personne titulaire de ce poste est responsable de faire des recherches, formuler des politiques et administrer les projets de marketing pour un secteur d'activité précis couvert par la Banque Provinciale. Pour ce faire, elle doit organiser, diriger et contrôler les ressources humaines, matérielles, financières et technologiques essentielles à la livraison de plusieurs projets de marketing ayant un niveau de complexité et une importance élevé à très élevé.

Responsabilités principales

- Planifier les activités de marketing en tenant compte des enjeux et de la cohésion des projets;

- Coordonner des études de marché et évaluer les stratégies de mise en marché;

- Effectuer la coordination opérationnelle des équipes sous sa responsabilité et des intervenants internes et externes impliqués dans les différents projets;

- Contrôler la qualité du travail et établir les méthodes et procédures à appliquer pour les projets;

- Répondre aux objectifs d'affaires dans le respect des ententes, des coûts et des échéanciers;

- Gérer une vingtaine de personnes : leur attribuer les rôles et responsabilités permettant le succès des projets.

---

[4] Inspiré de Classification nationale des professions, 4163 Agents/agentes de développement économique, recherchistes et experts-conseils/expertes-conseils en marketing. [En ligne] http://www5.hrsdc.gc.ca/noc/Francais/CNP/2011/ProfilDescription.aspx?val=4&val1=4163&val27=marketing&val28=0&val29=0&val30=2&val31=2&val32=2&val33=2&val34=1&val35=1&val36=1&val37=1&val38=0&val39=0&val40=Titre de groupe, Énoncé principal, Exemples d'appellations d'emploi, Fonctions principales (consulté le 22 mars 2013)

Profil recherché

- Baccalauréat en marketing;

- 4 ans d'expérience à titre de superviseur d'une équipe;

- 5 ans en gestion de projet marketing;

- Capacité d'analyse des besoins de la clientèle;

- Être orienté vers les résultats et l'évaluation de ceux-ci;

- Excellente maîtrise du français et de l'anglais.

La Banque Provinciale

Chez la *Banque Provinciale*, nous prônons la fidélité, tant chez nos clients que chez nos employés et partenaires. Nous accordons aussi une grande importance à la communication, à l'ouverture d'esprit et au travail d'équipe. Nous souhaitons nous entourer d'employés passionnés et motivés à nous aider à atteindre nos buts dans le respect de nos valeurs.

Curriculum vitae

Diego Senche
123, Fausse Rue
Saint-Barthélemy-le Grand (Québec) H2R 1P0

Résumé

- Connaissance approfondie des institutions financières grâce à une longue expérience dans ce secteur d'activité.

- Connaissance de plusieurs langues parlées et écrites (français-anglais-espagnole-allemand).

- Capacité d'apprentissage poussée, travaille bien sous pression.

- Souhaite diriger ma propre équipe.

Formation

Baccalauréat en administration, spécialisation marketing (2004-2008),

Université du Savoir

Programme intensif en langues étrangères (*anglais, espagnole, allemand*) (2001)

Expériences professionnelles et réalisations

Adjoint de direction, service de marketing, division Québec (2008-aujourd'hui) (5 ans)

Banque Provinciale

- Suivi auprès des équipes de projets marketing ;

- Préparation de formulaires, de documents pour le directeur marketing ;

- Accueil des visiteurs au bureau du directeur marketing.

Technicien service à la clientèle – Demandes de crédit (2006-2008)

Banque Provinciale

- Répondre aux problèmes des clients par téléphone

- Répondre aux demandes de renseignements sur le crédit.

Caissier au comptoir (2004-2006)

Banque Patante

- Opérations au comptoir telles que les dépôts et les retraits.

- Technicien au service à la clientèle, service après-vente (2002-2004)

- Détaillant de meubles et électroménagers

- Recevoir les appels de plaintes ou commentaires;

- Faire le suivi des livraisons, confirmer les rendez-vous.

Johanne Pépin

456, Grand Boulevard
Saint-Clin-Clin (Québec) J0K 1B0

Objectif

Ayant travaillé à titre de directrice du marketing pour la division crédit d'une institution financière, je cherche de nouveaux défis qui me permettraient d'aller plus loin dans la mise en œuvre de grands projets de marketing. Je recherche un travail où mes connaissances en marketing seraient mises à profit, contrairement au poste de directeur qui me demandait principalement de faire de la gestion de crise.

Formation

Technique en administration- spécialisation technique de ventes (1992)

Langues

Parfaite bilingue (anglais et français)

Expérience et compétences développées

Directrice au développement de produits de crédit (marketing), Banque ABC (2002-aujourd'hui)
- Leadership
- Sens de la planification

Coordonnatrice, lancement de produit/service, banque ABC (1999-2002)
- Travail d'équipe
- Gestion sous pression

Recherchiste, développement de nouveaux services d'affaires, *Banque ABC (1996-1998)*
- Sens de l'innovation
- Rigueur

Commis caissière, *Banque ABC (1992-1995)*
- Approche client

Ayant près de 10 ans de carrière à titre de directrice, j'ai développé des habiletés dans la gestion du personnel. Je suis une bonne communicatrice, habituée au travail sous pression. J'ai eu l'occasion d'approfondir mes connaissances lors de divers formations et séminaires portant sur le marketing, le placement de produit et les campagnes publicitaires. Dans un rôle de supervision, j'accorde une grande importance au *fit* organisationnel et à la collaboration entre pairs.

Carl Blouin

789, Petite rue

Grande Ville (Québec) H1T 9N3

À qui de droit,

Je travaille dans le domaine du marketing depuis 10 ans. Au cours de ces 10 années, j'ai eu l'occasion d'œuvrer dans différents secteurs d'activité, ce qui m'a permis d'élargir mes horizons.

Je détiens un baccalauréat en administration, spécialisation marketing. J'ai commencé ma carrière à titre d'assistant de projet d'enquête de marché dans le secteur alimentaire. J'ai ensuite travaillé 3 ans à titre de coordonnateur de projet marketing dans le secteur de la location de véhicule. Puis, j'ai travaillé 4 ans dans les télécommunications comme chargé de projet en marketing, où je dirige actuellement une équipe de 10 à 15 personnes, selon les périodes de l'année.

Je crois avoir tout ce qu'il faut pour performer dans le poste que vous souhaitez pourvoir. J'ai la motivation pour en apprendre davantage au sujet du secteur financier et mes habiletés de communication et de travail d'équipe feront de moi un bon chef de projet. J'ai une excellente maîtrise du français, et bien que j'aie une connaissance limitée de l'anglais, cela ne m'a jamais arrêté!

Cordialement,

Carl Blouin

Mathieu Brossard

1011, 12e Avenue

Mont Saint-Beloeil (Québec) J2R 1S8

Bien que ce ne soit pas le domaine dans lequel j'ai étudié, mes années d'expérience en marketing ont fait grandir chez moi une passion. J'ai commencé à travailler en marketing à titre d'assistant en gestion de projet après un changement de carrière. Je suis motivé par l'idée de continuer à monter les échelons afin d'accroitre mes responsabilités. Mes études en finance m'ont permis d'acquérir un jugement critique et une capacité d'analyse poussée, mais ce domaine ne me permettait pas de laisser place à ma créativité comme le permet le marketing.

Scolarité (effectuée en anglais)

Baccalauréat en finance

- Université du Savoir, diplôme obtenu en 2001

Technique en administration

- Cégep de la Connaissance, diplôme obtenu en 1997

Expérience

Gestionnaire de projet, junior (équipe de cinq personnes)

- Banque AB, de 2010 à aujourd'hui

Assistant, service de marketing

- Banque AB, de 2006 à 2010

Conseiller financier

- Banque AB, de 2001 à 2006

Assistant-gérant de restaurant

- Restaurant au Vieux Grill, de 1998 à 2000

Marie-Pierre Grondin

1213, boulevard Enneigé

Saint-Barnabé du Lac (Québec) J4R 3T9

<u>Objectif de carrière</u> : Je souhaite me bâtir une expérience en marketing pour éventuellement m'ouvrir une boîte de consultation en marketing dans 10 ou 15 ans. Je me cherche un emploi me permettant d'atteindre cet objectif à long terme. En attendant, je travaille pour la ferme de mes parents où je m'occupe des ventes, du suivi des commandes et de la gestion du personnel.

Maîtrise en gestion de projet, Université du Savoir (2013)

- Deux stages en organisation, enquête de marché pour une entreprise de consultants en marketing

Baccalauréat en Administration, Université du Savoir (2011)

Commis au service à la clientèle, Banque AB (2008-2011)

Représentante aux ventes, ferme maraichère Chez les Grondin, (de façon ponctuelle depuis 2005)

- Responsable de la gestion du personnel (30 employés) *(depuis 2013)*

<u>Aptitudes et compétences</u>

- Approche client

- Bonne capacité de travail sous pression

- Minutie

- Aime le travail d'équipe

- Anglais intermédiaire

Grille de critères						
Critères	Pondération	M. Senche	Mme Pépin	M. Blouin	M. Brossard	Mme Grondin
	%					
	%					
	%					
	%					
	%					
	%					
Total :	**100%**					

Candidats à convier en entrevue de sélection

1. ....

2. ....

3. ....

7 Développement des compétences et gestion des carrières

7.1. Acquisition = Formation

DistrubuTout est une grande entreprise du secteur de la distribution de produits alimentaires. Elle assure sa pérennité par une stratégie de croissance par acquisition. En fait, l'entreprise possède et gère une dizaine de marques de produits populaires. De façon générale, chaque marque possède son centre de production, mais l'ensemble de la planification, de la distribution et du choix des orientations stratégiques est géré par *DistribuTout*. Au total, la compagnie emploie environ 700 personnes.

DistribuTout a récemment fait l'acquisition de *Bio-Nic*, une entreprise spécialisée dans la préparation de boîtes à lunch composées uniquement d'aliments biologiques provenant majoritairement du Québec. Les installations de *Bio-Nic* comportent quatre sections; une pour la préparation des diverses sortes de sandwichs, une autre pour les salades, une où sont préparés les desserts et une dernière où les boîtes à lunch sont assemblées et emballées avec un jus. Pour l'instant, les boîtes à lunch sont distribuées seulement dans des épiceries fines, mais *DistribuTout* projette de réduire les coûts de vente du produit pour ensuite le vendre dans des épiceries grand public.

Avant de se faire acheter par *DistribuTout, Bio-Nic* n'investissait pratiquement pas dans la formation et le perfectionnement de ses employés, outre quelques mises à jour en santé et sécurité au travail. Bien que sa masse salariale annuelle ait atteint un million de dollars (pour une quarantaine d'employés), le propriétaire ne prenait pas le temps de planifier des programmes de formation. Cependant, en vertu de la *Loi favorisant le développement et la reconnaissance des compétences de la main-d'œuvre*[5], une entreprise dont la masse salariale est de

---

[5] La Loi favorisant le développement de la formation de la main-d'œuvre a été modifiée le 8 juin 2007 pour devenir la Loi favorisant le développement et la reconnaissance des compétences de la main-d'œuvre.

plus d'un million de dollars se doit d'investir annuellement au moins 1 % de celle-ci dans la réalisation d'activités de formation visant le développement des compétences de son personnel[6]. Puisque *Bio-Nic* ne répondait pas à cette obligation, le montant non investi devait être versé au Fonds de développement et de reconnaissance des compétences de la main-d'œuvre, ce dernier servant à financer certaines activités liées à la formation.

À la suite de l'acquisition de *Bio-Nic* par *DistribuTout*, les membres du conseil d'administration ont décidé de conserver telle quelle l'équipe de cadres de *Bio-Nic*. Par contre, ces derniers auront à s'adapter à certains changements. De plus, un plan de formation et de développement sera élaboré en vue d'ajuster les compétences de chacun. *DistribuTout* a la réputation d'investir près de 2 % de sa masse salariale en formation. Elle juge que cela non seulement favorise la fidélité de son personnel clé, mais stimule également leur motivation au travail.

Voici le portait de certains employés de *Bio-Nic* pour lesquels *DistribuTout* serait prêt à investir dans le développement et la formation.

Il y a d'abord Robert Tremblay, le directeur aux ventes et à la distribution de *Bio-Nic*. Il s'agit de l'employé ayant le plus d'ancienneté au sein de la compagnie et il connait très bien son marché. Puisque l'ancien propriétaire de *Bio-Nic* quittera son poste prochainement, M. Tremblay sera amené à prendre sa place pour certaines décisions d'ordre stratégique. Toutefois, au lieu d'être entièrement autonome comme l'était l'ancien propriétaire, M. Tremblay devra collaborer étroitement avec le conseil d'administration de *DistribuTout*. Cependant, étant titulaire d'un baccalauréat en marketing, ses connaissances en gestion sont surtout concentrées dans ce domaine.

Les deux superviseurs en chef des cuisines, Patrick Cuit-Stho et Paul Cuit-Stho, n'ont jamais géré d'équipes de plus de 15 employés. Leur style de gestion est plutôt familier. Tous deux diplômés en transformation alimentaire, c'est plutôt grâce à leur leadership qu'ils ont obtenu des promotions. Si les équipes de travail sont amenées à grandir dans le futur, de nouveaux défis quant à la gestion du personnel les attendent assurément.

Compte tenu des projets de *DistribuTout* pour *Bio-Nic*, le conseil d'administration juge bon que *Bio-Nic* envisage de se doter d'une personne responsable de la gestion des ressources humaines. Parmi les deux agentes de bureau, Marie semble être la candidate idéale. Jeune femme de 30

---

[6] Emploi Québec, Loi sur les compétences.
En ligne http://emploiquebec.net/entreprises/formation/loi-competences/index.asp.
Mise à jour le 14 juin 2011 (visité le 29 juin 2012).

ans à la recherche de défis, elle assistait l'ancien propriétaire lors de tâches administratives liées à l'embauche de personnel. Par contre, elle ne détient pas de diplôme en gestion des ressources humaines, mais seulement une technique en comptabilité complétée il y a 5 ans.

Les pratiques de gestion des cadres de *Bio-Nic* étaient jusqu'à maintenant relativement peu structurées. Compte tenu du nombre d'employés, leurs compétences en gestion étaient tout de même suffisantes pour assurer la pérennité de l'organisation. Or, *DistribuTout* prévoit pratiquement tripler la production de *Bio-Nic* dans les 5 prochaines années en ouvrant un autre centre de production pour ses produits. De plus, le centre actuel verrait possiblement son personnel augmenter et il assisterait à l'ajout de machinerie.

Questions 7.1

1. Quelles stratégies pouvez-vous employer pour collecter les informations pertinentes à l'analyse des besoins de formation de ces employés?

2. Faites l'analyse des besoins de perfectionnement pour chaque individu en fonction des objectifs organisationnels, de leurs tâches et des caractéristiques individuelles.

3. Quels types de formation et de perfectionnement pourraient être offerts pour chacune de ces personnes?

....

....

....

....

....

....

4. Soulevez des facteurs de succès d'un programme de formation devant être appliqués avant la formation (par le formateur), pendant et après la formation.

....

....

....

....

....

....

7.2. Un jumelage accaparant

Johanne est conseillère RH pour une institution financière. Elle gère le personnel des 6 succursales de son territoire. Dans le cadre de son travail, elle est amenée à conseiller les gestionnaires dans la gestion quotidienne de leur équipe de travail. Par exemple, elle accompagne ces derniers dans les évaluations de rendement ou dans les rencontres disciplinaires. Elle se charge aussi de la gestion prévisionnelle des RH, de la dotation et de la formation des employés. Bien sûr, le siège social lui fournit plusieurs outils pour l'aider, mais elle bénéficie d'une grande autonomie dans l'utilisation de ces derniers. Johanne apprécie cette latitude, car elle lui a permis, à travers les années, de tester certains outils qu'elle a elle-même développés et de les faire découvrir à d'autres succursales, qui les ont adoptés.

Pour le développement des compétences des représentantes au service à la clientèle, Johanne privilégie un système de jumelage. Les représentantes sont jumelées avec un employé chevronné ayant obtenu les meilleures évaluations de rendement. Les nouvelles recrues sont donc amenées à suivre un employé d'expérience pendant 5 jours ouvrables, soit le temps nécessaire pour maitriser le système informatique et les sujets touchant aux principales demandes des clients se présentant au comptoir. Les jumelages intersuccursales sont aussi possibles, puisque les méthodes de travail sont uniformisées.

Le système de jumelage est également utilisé dans le cas d'employés présentant des lacunes en service à la clientèle. Après une mauvaise évaluation de la part de son superviseur, un employé peut être amené à passer trois jours avec un collègue d'expérience. L'employé modèle doit alors transmettre ses méthodes de travail ainsi que ses astuces lui permettant d'assurer un service à la clientèle irréprochable.

Johanne était persuadée que ce système de développement des compétences était bénéfique pour l'organisation. En effet, la formation directement sur les lieux de travail et pendant les heures d'ouverture assure une véritable immersion dans le quotidien. De plus, cela permet à l'employé de véritablement assimiler les nouvelles connaissances, puisqu'il a immédiatement l'occasion de les appliquer et de recevoir une rétroaction de son mentor.

Or, un récent programme d'évaluation de la satisfaction de la clientèle a fait ressortir que ce système de développement des compétences ralentissait considérablement le service aux clients. De plus, certains commentaires formulés par les clients mentionnaient un inconfort par rapport au fait de partager certaines de leurs informations personnelles à plus d'une personne. Johanne questionna donc les employés souvent sollicités à titre de mentor. Ces derniers admirent qu'en effet, le jumelage devenait souvent un poids dans l'accomplissement de leurs tâches quotidiennes, mais comme cela avait toujours fonctionné ainsi, ils ne s'étaient jamais prononcés à ce sujet.

Surprise par ces aveux, Johanne est déterminée à changer son approche afin d'assurer le développement des compétences sans nuire au bon fonctionnement des succursales.

Questions 7.2

1. Nommez trois compétences devant être transmises aux nouveaux employés (une compétence par type de savoir).

2. La formule de jumelage qu'a choisie Johanne fait appel à un employé de l'interne choisi pour son expérience afin de former ses pairs. Nommez deux avantages et deux inconvénients de cette méthode.

3. Détaillez un autre type de formation que Johanne pourrait utiliser, en précisant le lieu, le moment, et la personne responsable. Justifiez votre réponse.

....

....

....

....

....

....

....

....

4. En général, à part de permettre à l'employé d'accomplir adéquatement ses fonctions, quelles autres utilités peut-on attribuer au développement des compétences? Nommez trois utilités pour l'organisation et une pour l'individu.

....

....

....

....

....

....

....

....

7.3. La formation chez *Toutenplastik*

Toutenplastik est une entreprise du secteur de la plasturgie. Dans son usine du Saguenay, on transforme la matière première en moulant et en assemblant différentes pièces à base de plastique. Ses principaux contrats proviennent de compagnies qui assemblent des véhicules de transport collectif tels que des autobus ou des wagons de train. Tous les types de pièces produites par *Toutenplastick* servent à meubler l'intérieur des véhicules. Quatre-vingts pour cent de sa production sert à la fabrication des structures de banquette. Avec la présence, au Québec, d'acteurs mondiaux dans le domaine du transport, *Toutenplastik* ne manque pas de contrats!

Une quarantaine d'employés permanents travaillent à l'usine. Selon les fluctuations du calendrier de commande, il arrive que jusqu'à quinze employés d'agence de placement viennent pourvoir les postes d'assembleurs. Parmi les postes permanents, on compte une vingtaine de journaliers ou d'assembleurs ayant des fonctions de base dans la chaine de production. Les autres employés sont des opérateurs de machine qui doivent avoir des connaissances plus poussées en mécanique. Certains d'entre eux ont des formations techniques, mais la majorité des employés ont appris sur le terrain. Deux mécaniciens industriels d'expérience font la maintenance des machines et assurent un soutien continu lorsque des problèmes mécaniques complexes surviennent. L'équipe des opérations est complétée par trois contremaîtres qui supervisent la chaine de montage et s'assurent que le calendrier de commande soit respecté.

Il y a près de 6 mois, l'usine a changé plusieurs machines ayant atteint leur niveau d'usure maximale. Les installateurs des nouvelles machines ont alors donné une formation aux mécaniciens industriels afin qu'ils maitrisent bien les nouveaux équipements. Bien que le fonctionnement général des nouvelles machines soit le même que celui des anciennes, elles nécessitent davantage de maintenance. Une partie de cette maintenance devra désormais être assurée par les opérateurs et par certains assembleurs à la fin de leur quart de travail. Autrement, les mécaniciens industriels ne pourraient assurer seuls l'ensemble des tâches à accomplir. Un tel partage des responsabilités évitera à l'entreprise de devoir embaucher un mécanicien industriel supplémentaire.

À la suite d'une réunion, les mécaniciens industriels avaient établi une liste des tâches de maintenance que les opérateurs et les assembleurs devraient désormais assurer. Pour sensibiliser l'ensemble des employés à l'importance de la maintenance, ils avaient planifié une séance de formation de trois heures pour deux groupes de quinze personnes. La première partie de cette formation était donnée dans la salle de réunion de l'usine, alors que la seconde partie de la formation était faite près de la chaine de montage, pendant que les autres employés étaient à l'ouvrage. Bien que la productivité fut quelque peu dérangée, cela permit de valider la compréhension des instructions directement aux machines. À première vue, cette formation s'était bien déroulée; les employés avaient d'ailleurs partagé leur satisfaction à l'égard des méthodes d'apprentissage utilisées.

À l'heure actuelle, 6 mois après l'installation des nouvelles machines et la formation des employés, plusieurs problèmes récurrents sur celles-ci accaparent les mécaniciens industriels. Afin de comprendre la cause des défaillances, les mécaniciens ont tenté de rencontrer les employés, mais ces derniers étaient débordés par une surcharge de travail qui perdure depuis quelques semaines. Même les contremaîtres refusèrent de se libérer afin d'aider les mécaniciens à comprendre le problème. Les calendriers de production étaient tellement chargés au cours des dernières semaines que les mécaniciens se demandèrent si cela aurait pu faire émerger des défauts de fabrication. Ils décidèrent alors de contacter leurs fournisseurs. Ces derniers leur expliquèrent que ce type de défaillance survient lorsque la maintenance n'est pas effectuée assez régulièrement. Les mécaniciens sont sidérés. Pourtant, ils s'étaient efforcés d'être clairs lors de la formation et ils ont même placé des affiches aux postes de travail pour que les employés n'oublient pas qu'ils doivent effectuer certaines tâches de maintenance.

Le chef des mécaniciens industriels décida de rencontrer d'urgence les contremaîtres et le directeur de l'usine afin de leur faire part des problèmes. En effet, il semble que le programme de formation n'ait pas porté ses fruits. Avant de reprendre un nouveau programme, le directeur d'usine jugea bon d'analyser pourquoi les employés n'ont pas mis en pratique les nouvelles consignes.

Questions 7.3

1. Nommez les quatre niveaux permettant d'évaluer un programme de formation et citez un outil d'évaluation pour chacun d'eux. Où se situent les lacunes du programme de formation dans ce cas-ci?

2. Quelles barrières peuvent restreindre les employés dans l'application des nouvelles procédures?

....

....

....

....

....

....

....

....

3. Trouvez des stratégies complémentaires à la formation permettant d'assurer que les employés adhèrent aux comportements souhaités.

....

....

....

....

....

....

....

7.4. *MKG-Recherche* des solutions

MKG-Recherche est une entreprise spécialisée en marketing dont le principal champ d'expertise est la recherche et les études de marché. Pour faciliter ses activités d'enquêtes et de sondages, l'entreprise détient aussi un centre d'appel. Près de 200 employés travaillent actuellement pour *MKG-Recherche*. L'entreprise est considérée comme l'un des leaders de son secteur. En effet, seulement 15 % des entreprises de ce secteur ont plus de cinquante employés. Bien que les secteurs de la recherche et des centres d'appel soit les plus petits secteurs du domaine du marketing, la concurrence est féroce. Effectivement, le nombre d'entreprises s'y consacrant a diminué considérablement depuis les années 2000. *MKG-Recherche* a toujours réussi à se démarquer par sa grande expertise, en plus d'être toujours à la fine pointe des technologies dans les services qu'elle offre à ses clients.

L'un des principaux services offerts par *MKR-Recherche* est l'aide aux clients dans leur positionnement stratégique. Elle les assiste par exemple en mesurant la satisfaction de leur clientèle, en analysant l'environnement stratégique ou en bâtissant des plans de communication adaptés. Leur devise est que derrière tout conseil, se cache une méthode de recherche des plus rigoureuse!

L'entreprise compte une division Service-conseil et recherche ainsi qu'un centre d'appel. La première est opérée par projet et est divisé en une quinzaine d'équipes de travail regroupant trois à six personnes. Les projets sont répartis selon les spécialités des équipes de travail, lesquelles sont composées de personnel de recherche, d'analystes et d'un chef de projets.

Le centre d'appel gère la saisie de données quantitatives. Lorsqu'un projet de recherche nécessite les services du centre d'appel, la charge de travail y est transférée. Les employés ont à procéder à des interviews téléphoniques ou à colliger les réponses d'un questionnaire dans une banque de données. Une dizaine de superviseurs assurent le lien avec les chefs de projets, contrôlent le rendement des employés du centre d'appel et résolvent les différents problèmes.

Sylvie Hérash, la directrice RH de l'entreprise, a détecté certaines tendances quant au mouvement du personnel en observant les données de son service. Il semblerait que malgré une politique de recrutement à l'interne pour les postes de chefs de projet et de chefs d'équipe au centre d'appel, ces postes ne sont jamais pourvus par des femmes. En effet, elles préfèrent rester au poste d'intervieweur, de codeuse, ou d'analyste, bien qu'elles aient souvent les compétences requises pour obtenir des promotions.

Un second enjeu inquiète la directrice : à ce jour, près de 40 % des employés de l'entreprise ont plus de 50 ans, tous postes confondus. L'entreprise a toujours prôné la fidélité, et plusieurs de ces employés vieillissants ont toujours travaillé dans le domaine de la recherche en marketing. Certains d'entre eux attendent avec impatience leur retraite, car ils ne sentent plus qu'ils se développent dans leur emploi, alors que d'autres seraient prêts à continuer à travailler pour l'entreprise aussi longtemps que possible. Appréhendant une future pénurie de main-d'œuvre, la directrice craint les conséquences de la perte d'autant d'employés dans les prochaines années.

Questions 7.4

1. Est-il possible que l'absence de femmes dans les postes de gestion soit causée par le phénomène du plafond de verre? Expliquez ce phénomène et mentionnez-en les principales sources.

....

....

....

....

....

2. Ayant reçu plusieurs commentaires à ce sujet, la directrice RH envisage l'instauration d'une politique visant l'équilibre travail-famille. Faites-lui cinq suggestions à cet effet.

....

....

....

....

....

3. Au sujet des employés en fin de carrière, faites quatre suggestions de mesures, dont deux concernant le travail effectué, une relative aux conditions de travail et une concernant la retraite.

....

....

....

....

4. Quels sont les rôles ou responsabilités de l'entreprise, des superviseurs et des employés à propos de la gestion des carrières. Nommez deux rôles pour chacun de ces groupes.

....

....

....

....

7.5. Le succès en carrière: subjectif

La jeune Jessy Happy est finissante en gestion des ressources humaines. Lors de sa dernière année d'étude, elle a obtenu un stage en recrutement. Cette expérience ainsi que son bilinguisme lui ont permis d'obtenir un poste dans la fonction publique, au sein du service qui gère les demandes d'emploi de la plupart des ministères. Dès la première semaine, son superviseur lui a expliqué son rôle. Elle devra assurer le suivi des concours de candidatures pour une région précise du Québec. Avant d'ouvrir un concours, elle doit s'assurer que la description de poste indiquée est encore adéquate. Elle doit ensuite analyser les CV de la banque de données correspondant aux critères de base. Elle transmet ensuite une liste de candidats potentiels au centre régional où des conseillers RH conduiront les entrevues. En résumé, son rôle est de fournir à sa région attitrée un nombre suffisant de candidatures appropriées pouvant combler la demande d'effectif.

Jessy trouve cet emploi très stimulant. Elle est persuadée qu'elle apprendra beaucoup en peu de temps. La seule ombre au tableau est sa voisine de bureau, Madame R. Bête… Cette dernière ne lui a pratiquement pas adressé la parole depuis son arrivée. Lorsque Jessy lui a demandé de l'aide à propos du logiciel, Mme R. Bête lui a répondu qu'elle utilisait l'ancienne méthode et qu'elle ne pouvait donc pas l'aider.

Mme R. Bête a complété un diplôme d'études collégiales en administration il y a une quinzaine d'années. Depuis, elle a occupé quelques emplois, jusqu'à ce qu'elle obtienne ce poste dans la fonction publique, il y a de cela 7 ans. Voir l'enthousiasme avec lequel la jeune Jessy aborde chaque journée l'exaspère. De son côté, elle trouve ses journées longues et pénibles. Il lui arrive de partir plus tôt par simple envie d'être chez elle. Cela lui permet de passer plus de temps avec ses deux enfants de 10 et 8 ans avec lesquels elle a un plaisir fou. Son entourage semble envier son poste à la fonction publique, sa rémunération et ses avantages sociaux avantageux, son horaire flexible et sa sécurité d'emploi. Pourtant, Mme R. Bête compte déjà les années qui la séparent de la retraite. Au lieu de chercher un autre emploi, elle préfère endurer celui-ci et trouver des voies de développement personnel à l'extérieur du travail.

Questions 7.5

1. Quels sont les cinq stades du cycle de la vie professionnelle tels que définis par Hall (1976)? À quel stade se situent respectivement Jessy et sa collègue?

....

....

....

....

2. À quel phénomène Jessy est-elle susceptible d'être confrontée? Comment l'organisation peut-elle réduire les impacts de ce phénomène?

....

....

....

....

3. Quel phénomène vit Mme R. Bête? Nommez trois facteurs susceptibles d'engendrer ce problème et deux solutions organisationnelles pour le restreindre?

....

....

....

....

4. Pourquoi est-ce important d'accorder de l'importance au développement de la carrière des individus? Nommez trois conséquences possibles de l'absence de gestion des carrières sur les attitudes ou comportements des employés.

....

....

....

....

Exercice 7.1. Évaluation d'un programme de formation chez FormationZéros

FormationZéros, une entreprise familiale, prévoit créer un programme de formation visant à combler les lacunes de ses superviseurs. En effet, ceux-ci étant tous des ouvriers ayant obtenu des promotions, ils ne comptent aucune formation en gestion de personnel.

L'entreprise hésite encore entre deux programmes. Le premier consiste en une formation intensive de 5 jours abordant plusieurs facettes de la gestion du personnel.

Le second programme consiste en du coaching personnalisé. Ce programme échelonné sur un an débuterait par une courte formation d'introduction de 3 heures. Ensuite, chaque superviseur aurait des rencontres individuelles avec un coach afin que ce dernier les conseille sur leur façon de gérer le personnel. Ces rencontres d'une heure se tiendraient tous les trois mois.

	Nombre de participants à la formation pour l'année en cours	Coûts	Autres informations
Programme 1	25 superviseurs	Coût du programme : 3000 $ Frais du formateur : 1200 $ par jour	2 jours de formation de 8 heures
Programme 2	25 superviseurs	Coût de base du programme : 1 500 $ Frais totaux de la formation d'introduction : 1000 $ Frais du coach : 120 $ l'heure	Durée de la formation d'introduction : 3 heures 4 rencontres individuelles d'une heure avec le coach par participant

Le taux de roulement actuel des 400 employés de l'entreprise est de 15 %. Le coût de remplacement d'un employé est de 2 500 $. Pour chacune des deux formations, l'entreprise prévoit des effets distincts sur le taux de roulement.

	% de diminution du taux de roulement
Programme 1	20 %
Programme 2	40 %

Voici d'autres informations pertinentes permettant d'analyser les deux programmes :

	Salaire annuel	Nombre de jours de travail dans l'année	Nombre d'heures par jour de travail
Superviseurs	60 000 $	250 jours	8 heures

D'après vos calculs, lequel des deux programmes de formation serait le plus rentable?

Exercice 7.2. Évaluation d'un programme de formation chez *SansFormation*

Le directeur RH de l'entreprise *SansFormation* est en pleine réflexion. Depuis un an, les évaluations multisources laissent croire que les représentants marketing ont un besoin en formation. En effet, non seulement certains clients ont fait savoir que les compétences techniques de ceux-ci laissaient à désirer, mais les représentants eux-mêmes ont signifié ne pas savoir réagir face au client problématique. Des entrevues de départ réalisées auprès d'employés ayant démissionné ont corroboré ces informations puisque huit des dix départs étaient motivés par un manque de soutien de l'organisation lors de situations difficiles.

Pour combler cette lacune, l'entreprise hésite encore entre deux programmes de formation. Le premier consisterait à offrir aux représentants de suivre à l'université un programme court en marketing. Le second programme serait conçu par des consultants et il toucherait non seulement les représentants, mais également les superviseurs. Voici les informations relatives à ces deux programmes.

	Nombre de participants à la formation pour l'année en cours	Coûts	Autres informations
Programme 1	20 représentants	1400 $ par personne	L'équivalent de 24 jours par année
Programme 2	50 % des représentants et tous les superviseurs	Coût du programme : 3000 $ Frais du formateur : 1200 $ par jour	Taille des groupes: 20 personnes Durée : trois jours par groupe

Voici les informations dont vous avez besoin afin d'évaluer ce que représentent les coûts qu'impliquent ces programmes.

	Nombre total d'employés	Salaire annuel	Nombre de jours de travail dans l'année	Taux de roulement par catégorie d'emploi	Coût de remplacement
Représentants	120	48 000 $	250 jours	10 %	10 000 $
Superviseurs	20	64 000 $	250 jours	15 %	20 000 $

Bien que cela représente d'importants coûts, le directeur RH est persuadé que l'investissement en vaut la peine. Afin de justifier son choix, il compare le pourcentage de diminution du taux de roulement attendu pour chacun des deux programmes.

	% de diminution du taux de roulement	
	Représentants	**Superviseurs**
Programme 1	70 %	-
Programme 2	50 %	50 %

À l'aide de calculs, déterminez lequel des deux programmes de formation serait le plus rentable.

8 Évaluation du rendement

8.1. L'évaluation du rendement chez *Corneille*

Éric T. Vézina est chef d'équipe au rayon de l'électronique de la nouvelle chaine de magasins à grande surface de meubles et d'électroménagers *Corneille*. Cette chaine de magasins a la particularité d'offrir les produits haut de gamme les plus récents sur le marché, mais également une très grande variété de produits réusinés, vendus à moindre coût. L'équipe du rayon de l'électronique compte 10 vendeurs. Avant d'être embauchés chez *Corneille*, ceux-ci ont tous déjà travaillé comme vendeurs chez des concurrents ou dans des boutiques d'électronique.

Éric aime bien les politiques de gestion des ressources humaines du magasin. Son patron, M. Giovanni, encourage l'autonomie et la collaboration. En tant que chef d'équipe, Éric gère de façon autonome les vendeurs de son rayon. Il établit les horaires et participe au choix final lors de la sélection de personnel. Une bonne chimie s'est créée dans l'équipe que dirige Éric. Puisqu'aucun vendeur du magasin n'est payé à la commission, les clients ne ressentent pas de pression pendant leur expérience de magasinage. Les vendeurs vont spontanément vers les clients avec lesquels ils pensent partager le plus d'affinités et n'hésitent pas à laisser leur place le cas contraire. Cette méthode leur permet de conclure plus de ventes.

Pour encourager les vendeurs à fournir des efforts soutenus, une prime représentant entre 1 et 5 % du salaire fixe est remise aux employés de chaque rayon, une fois par trimestre, selon l'atteinte des objectifs de ventes. Ces derniers sont déterminés en fonction des résultats du trimestre précédent. Chaque trimestre, les vendeurs doivent tenter d'augmenter le chiffre d'affaires du magasin. La prime varie selon l'augmentation obtenue.

Pour la première fois depuis l'ouverture, il y a deux ans, le gérant du magasin a décidé de mettre en place un système d'évaluation du rendement. Il a donc fourni un formulaire d'évaluation à Éric, qui doit le remplir avant la fin du mois. Ce formulaire est assez simple. On doit y classer les vendeurs en ordre, du meilleur jusqu'au plus faible, selon une appréciation globale de leur rendement. On doit retrouver au premier rang l'employé se démarquant par un rendement supérieur aux autres, et au dernier celui ayant un rendement inférieur comparativement au reste de l'équipe. De plus, deux employés ne peuvent être placés au même rang.

Lorsqu'Éric demande au gérant quel usage il comptait faire des formulaires d'évaluation, celui-ci lui répondit qu'il ne le savait pas encore tout à fait. Chose certaine, si un employé se retrouvait constamment au dernier rang, il pourrait en subir les conséquences...

Cette évaluation du rendement arrive à point pour Éric, puisqu'il devait justement choisir une personne pour le remplacer durant ses vacances. L'année précédente, le chef d'équipe d'un autre rayon l'avait remplacé tout en assumant la responsabilité de son propre rayon, mais cela avait occasionné plusieurs problèmes. Cette année, Éric a choisi de confier cette responsabilité à un de ses vendeurs. Puisque l'individu sélectionné se verra décerner une prime, Éric octroiera son remplacement au vendeur qui arrivera au premier rang du classement.

Questions 8.1

1. Quel est le nom de la méthode utilisée dans le formulaire d'évaluation du rendement et de quelle approche s'agit-il? Commentez ce type d'approche et spécifiez s'il est approprié pour les usages qu'Éric veut faire des évaluations du rendement. Justifiez votre réponse.

....

....

....

....

....

....

2. Quelles sont les autres méthodes ou approches d'évaluation du rendement?

....

....

....

....

3. Sur quels critères une organisation peut-elle se baser pour choisir une méthode d'évaluation du rendement? Nommez et expliquez brièvement trois de ces critères.

....

....

....

....

4. Quelles autres sources d'évaluation pourraient être utilisées par Éric pour évaluer son personnel? Pour chacune d'elles, nommez deux critères de rendement qu'il pourrait évaluer et mentionnez de quel type de critère il s'agit (caractéristique individuelle, comportements, résultats).

....

....

....

....

5. Vos suggestions auraient-elles été les mêmes si la rémunération avait été à la commission? Pourquoi?

....

....

....

....

6. Que pensez-vous de la façon dont les primes sont octroyées?

....

....

....

....

8.2. L'entrevue d'évaluation

M. Tremblay est directeur de la comptabilité pour une grande organisation. Son service embauche trois commis comptables, un vérificateur et une adjointe administrative. Chaque trimestre, le service des ressources humaines lui demande de procéder à l'évaluation de son personnel. Après avoir fait un retour sur quelques critères objectifs tels que la ponctualité, les absences et le dossier disciplinaire, le formulaire d'évaluation se conclut par une cote d'appréciation globale du rendement de l'employé évalué. L'évaluateur est également invité à laisser ses commentaires au bas du formulaire d'évaluation.

Après avoir rempli les grilles d'évaluation du rendement de son personnel, M. Tremblay convoqua ses employés pour un entretien d'évaluation du rendement. Il commença par Ginette, l'adjointe administrative.

M. Tremblay amorça l'entretien en lui disant que, de façon générale, il appréciait grandement son travail. Par contre, il y a deux semaines, elle a commis plusieurs erreurs dans la prise de rendez-vous, ce qui a causé beaucoup de problèmes dans son horaire très chargé de directeur. Sa grande distraction avait pour origine des problèmes familiaux et n'était pas représentative du rendement habituel de Ginette. Cette dernière en profita également pour lui réexpliquer les maux qui affligeaient sa famille. Après l'avoir longuement écouté et avoir compati à ses problèmes, M. Tremblay lui mentionna tout de même que son ancienne adjointe administrative n'aurait jamais commis de telles erreurs et serait parvenue à rester concentrée malgré tout. Toutefois, comme elle a toujours eu de très bonnes évaluations par le passé, M. Tremblay lui expliqua qu'il ne prendrait pas en considération les erreurs des dernières semaines et il lui accorda une note d'appréciation globale de 5 sur 5.

La deuxième personne que M. Tremblay convoqua pour son entrevue d'évaluation fut Mahé, commis aux comptes créditeurs (aussi appelés comptes payables) depuis environ trois mois. Encore aujourd'hui, M. Tremblay est surpris que le service des ressources humaines ait choisi de l'embaucher. Bien qu'elle ait paru posée à l'entrevue de sélection à laquelle il a assisté, elle s'est présentée dès sa première journée de travail habillée de façon très colorée, avec une coiffure extravagante et plusieurs bijoux tape-à-l'œil. Les employés de son service optant davantage pour la sobriété, M. Tremblay n'a pas l'habitude de ce genre d'accoutrement.

Au début de l'entretien, M. Tremblay demanda à Mahé comment elle trouvait son nouvel emploi. Il lui mentionna ensuite qu'il n'avait rien à lui reprocher au sujet de son sens de l'initiative et de sa capacité d'apprentissage. Par contre, il l'a surprise quelques fois au téléphone à tutoyer et à appeler les fournisseurs par leur prénom. Il expliqua alors que dans ses premiers emplois, lorsqu'il occupait un poste semblable au sien, il restait toujours très poli avec les personnes à qui il s'adressait. Il croit qu'il s'agit d'une marque de respect et que cette attitude lui a valu de bonnes relations avec les entreprises auxquelles il avait affaire.

Lorsque M. Tremblay lui demanda si elle avait des questions par rapport aux objectifs qu'il lui avait soumis, Mahé, de nature plutôt directe, lui mentionna qu'elle ne comprenait pas pourquoi elle perdait 2 points sur 5 dans son évaluation globale en raison de son attitude envers les clients, alors que ces échanges ne représentent que 5 % de ses tâches. Elle expliqua également qu'avant de tutoyer un fournisseur, elle lui en demandait d'abord la permission. Selon elle, le tutoiement rendait les échanges beaucoup plus agréables. M. Tremblay resta surpris de cette intervention. Ne sachant que dire, il mit fin à l'entretien en disant qu'il allait réfléchir à tout cela, mais que par égard pour la réputation de l'entreprise, il exigeait qu'elle reste toujours courtoise avec les fournisseurs.

Questions 8.2

1. Quelles erreurs détectez-vous dans les jugements que porte M. Tremblay?

2. De quelles catégories d'entrevues M. Tremblay semble-t-il avoir fait usage au cours de ces deux entretiens? Expliquez brièvement en quoi elles consistent et dans quelle situation il est préférable d'utiliser ces types d'entrevues.

3. Suggérez à M. Tremblay des comportements à éviter, de façon générale, pendant les entrevues d'évaluation du rendement.

4. Comment M. Tremblay devrait-il évaluer Ginette ? Comment devrait-il évaluer Mahé?

8.3. Un vent de changement

La firme *Besoin d'air* est une PME d'une cinquantaine d'employés. Son champ d'expertise est la conception de systèmes de ventilation et de chauffage pour des édifices commerciaux. On trouve à son emploi quelques ingénieurs, des stagiaires en génie mécanique et civil, des contremaitres, des assembleurs, des mécaniciens, des soudeurs, des techniciens en plomberie et chauffage et du personnel administratif. L'entreprise comprend une usine d'assemblage, un service de recherche et développement, des équipes de gestion de projet et des services administratifs tels que marketing et comptabilité.

Récemment, Richard, un responsable de projet comptant moins de 2 ans d'ancienneté, a été congédié, car il n'avait pas atteint les objectifs d'un client très important. L'offre de service pour le projet avait déjà été acceptée par le client. Toutefois, sur présentation de la maquette du projet, le client a fait annuler le contrat, prétextant que celle-ci ne répondait pas du tout à l'objectif initial. Depuis, c'est la pagaille dans l'entreprise. Certains employés disent avoir été témoin de la colère du patron lorsqu'il a appris que l'entreprise perdait ce contrat. Il s'agissait d'un projet spécial visant la conception d'un système de ventilation pour des laboratoires industriels. La compagnie n'avait jamais travaillé dans ce domaine d'expertise, mais puisque l'offre de service avait été acceptée, le patron voulait profiter de cette occasion en or pour diversifier ses activités. Selon lui, c'était un projet qui aurait dû se réaliser en un tour de main.

Depuis le congédiement de Richard, l'ambiance au travail s'est envenimée. Des rumeurs ont commencé à courir quant aux réelles raisons de son départ. Certains disent que le patron avait eu tort de penser que ce serait un contrat facile, d'autres croient plutôt que c'est Richard lui-même qui a donné sa démission, car il n'aimait pas les méthodes de gestion de l'entreprise. Bien que certains soupçonnent Richard de sabotage, la majorité semble plutôt clamer qu'il n'y était pour rien dans l'échec de ce projet.

Selon vous, conseiller RH nouvellement arrivé dans l'entreprise, il s'agit plutôt d'un problème de gestion de la performance. Bien que vous ayez été embauché après le départ du responsable de projet, les quelques informations que vous fournit le patron vous laissent croire que Richard n'avait peut-être pas les compétences requises pour effectuer ce genre de projet. Selon vous, il ne méritait assurément pas d'être congédié. Après avoir questionné le patron, vous constatez qu'aucune politique de gestion de la performance n'est en place. Selon vous, une telle politique aurait permis d'éviter l'échec du contrat en offrant la possibilité de mieux diagnostiquer les causes de l'échec de Richard.

Bien que le patron soit récalcitrant, vous réussissez à le convaincre d'implanter un programme de gestion du rendement en lui vantant les bénéfices qu'un tel programme peut apporter ainsi que les liens qu'il entretient avec les autres activités de la GRH. Quelques jours plus tard, vous vous rendez compte que la nouvelle s'est répandue auprès des employés. Loin d'adoucir le climat, une grande résistance se fait déjà sentir. En effet, plusieurs employés ont peur que cela mène à une diminution de leur salaire, et certains ont signifié qu'ils n'avaient pas assez confiance en leur superviseur pour le laisser les évaluer.

Décidément, on dirait que vous n'avez fait que jeter de l'huile sur le feu. Vous ne comprenez pas qu'il y ait tant de résistance face à ce nouveau programme, puisque votre objectif est justement d'éviter les erreurs passées.

Questions 8.3

1. Sur quels éléments le patron aurait-il dû se questionner avant d'imposer une sanction à un employé? Autrement dit, quels éléments permettent d'analyser adéquatement les écarts de rendement d'un employé?

2. Expliquez brièvement les cinq étapes d'un processus de gestion du rendement.

3. Comment peut-on s'assurer de l'acceptation du processus par les employés? Formulez trois re-commandations visant à rendre le processus plus équitable et éthique.

4. À quelles autres activités de la GRH la gestion de la performance est-elle liée? Nommez-en trois et expliquez.

Exercice 8.1. Déterminer des objectifs de rendement

À l'aide de la description de tâches ci-jointe, déterminez trois objectifs qui vous aideront à évaluer le rendement d'un contremaitre et d'un directeur de production. Assurez-vous que ces objectifs répondent autant que possible aux critères SMART.

Rappel de la méthode SMART :

S : Spécifique
M : Mesurable
A : Atteignable et Accepté
R : Relié aux objectifs de l'entreprise ou du département
T : Temporel

* Le critère *Accepté* signifie que l'objectif de rendement doit être convenu en partenariat avec l'employé concerné.

Contremaitre[7]

Sous l'autorité du directeur de production, le contremaitre supervise, coordonne et planifie les activités de production et gère le plus efficacement possible les ressources humaines, financières et matérielles sous sa responsabilité. Ses principales responsabilités sont de :

- Coordonner les activités de production et d'entretien et s'assurer que les équipes supervisées atteignent les objectifs fixés ;

- Veiller à disposer de la matière première, des équipements, des outils et des pièces nécessaires pour réaliser les objectifs de production et commander le matériel et les fournitures nécessaires;

- Planifier les effectifs nécessaires, gérer les horaires afin de répondre à la demande de production de l'entreprise ;

- Établir des méthodes de travail permettant de respecter les calendriers d'exécution et coordonner les activités avec les autres services ;

- Rédiger des rapports de production et d'autres rapports ;

- Résoudre les problèmes reliés au travail et recommander des mesures afin d'améliorer la productivité ;

- Superviser les employés en formation ;

- Recommander des mesures de gestion du personnel, telles que l'embauche et les promotions ;

- Assurer le respect des normes de sécurité au travail ;

- Maintenir un climat de travail sain, valorisant et sécuritaire.

[7] Inspiré de Classification nationale des professions. «Groupe de base, 7301 Entrepreneurs/entrepreneuses et contremaitres/contremaitresses en mécanique». [En ligne] http://www5.hrsdc.gc.ca/noc/Francais/CNP/2011/RechercheRapide.aspx?val65=7301 (consulté le 3 mai 2013)

Directeur de production[8]

Le directeur de production doit planifier, organiser, contrôler, diriger et évaluer, par l'entremise des contremaitres, toutes les activités reliées à la production en vue de réaliser les objectifs généraux de l'usine. Ils formulent avec l'appui du conseil exécutif les politiques générales qui guideront la production et l'orientation de l'entreprise. Ses principales responsabilités sont de :

- Formuler ou approuver les objectifs, les politiques, les règlements et les programmes et en assurer la compréhension et l'application par les contremaitres ;

- Allouer les ressources humaines, matérielles et financières nécessaires à la mise en œuvre des objectifs, politique et orientation de la compagnie ;

- Coordonner le travail de chacun des services ou divisions de l'usine afin d'assurer une cohésion interne ;

- Établir les contrôles administratifs et financiers, faire le suivi de la performance, des données de production et de l'optimisation des résultats ;

- S'assurer que le rapport hebdomadaire de production et de planification des matières premières est précis et fait à temps ;

- Participer, en collaboration avec l'équipe d'ingénierie, à la gestion de différents projets de développement en suivant l'évolution du secteur, des nouveaux produits, équipements ou technologies ;

- Avoir une excellente communication avec les contremaitres afin de pouvoir leur donner des directives qui les aideront à mieux gérer le personnel de l'usine ;

- Collaborer à la sélection des contremaitres et autre personnel de direction et assurer leur formation et leur développement ;

- Représenter la compagnie lors de négociations ou autres rencontres officielles.

[8] Inspiré de Classification nationale des professions. «Groupe de base, 0016 Cadres supérieurs/cadres supérieures – construction, transport, production et services d'utilité publique». [En ligne] http://www5.hrsdc.gc.ca/noc/Francais/CNP/2011/RechercheRapide.aspx?val65=0016 (consulté le 3 mai 2013).

Objectifs de rendement

Contremaître

Objectif 1:

....

....

....

Objectif 2:

....

....

....

Objectif 3:

....

....

....

Directeur de production

Objectif 1:

....

....

....

Objectif 2:

....

....

....

Objectif 3:

....

....

....

9

Rémunération

9.1. Une refonte globale en rémunération

HyperTechno est une entreprise du secteur des hautes technologies. Elle fait l'assemblage de différentes composantes d'avion. La renommée de *Hyper-Techno* est basée sur sa sélection de matériaux ultralégers. Originaire de Montréal, l'entreprise existe depuis près de 50 ans et est aujourd'hui cotée en bourse. Le flair de ses dirigeants au regard des nouvelles technologies lui a valu une croissance constante depuis sa fondation. Aujourd'hui, elle compte plusieurs usines à travers le monde.

Annie est la nouvelle conseillère RH de l'usine de Montréal. En acceptant ce poste, Annie savait déjà que l'usine souhaitait revoir certaines politiques en matière de gestion des ressources humaines. Aujourd'hui, le président de la compagnie, Monsieur Jean Gère, l'a convoquée afin de discuter des politiques salariales.

L'usine de Montréal embauche une quarantaine d'employés. Près de la moitié d'entre eux travaille à l'assemblage de pièces. Ce travail est répétitif et le seul moyen que l'entreprise a trouvé pour rendre ces postes plus attrayants est de rémunérer ses employés à la pièce. Ainsi, les employés sont tenus d'assembler un certain nombre de pièces dans une journée, et, s'ils en font davantage, ils obtiennent un montant d'argent supplémentaire. Tous les deux mois, les objectifs minimaux sont vérifiés en observant la production d'un échantillon d'employés sélectionnés au hasard.

Or, depuis quelque temps, les responsables du contrôle des pièces ont constaté une augmentation du nombre de pièces défectueuses. La procédure à suivre, lorsque les pièces ne répondent pas aux normes de qualité, consiste à vérifier sommairement si celles-ci peuvent être démontées et réparées en peu de temps. Si le problème semble plus important, les pièces seront tout simplement jetées. Un grand nombre de pièces défectueuses occasionne d'importantes pertes de temps et d'argent. M. Gère se doute bien que son mode de rémunération y est pour quelque chose...

En contrepartie, la politique salariale concernant les primes en santé-sécurité au travail est particulièrement appréciée par M. Gère. En effet, tous les employés travaillant à l'usine reçoivent une prime pour chaque mois passé sans accident de travail. Pendant l'année, la valeur de la prime augmente mensuellement de 5 % tant qu'un accident ne survient pas. M. Gère affirme que depuis que cette politique a été mise en place il y a 4 ans, le nombre d'accidents a graduellement diminué.

Toutefois, le taux de roulement dans toutes les catégories d'employés d'usine est assez élevé, soit de 9 %. Les employés obtiennent une augmentation salariale de 20 cents l'heure tous les six mois. Auparavant, les augmentations étaient de 40 cents après chaque année de service. En augmentant la fréquence des augmentations, M. Gère espérait réussir à diminuer ce taux de roulement. Cette idée a eu un certain succès si l'on considère qu'il y a quelques années, le taux de roulement était près de 20 %. Par contre, M. Gère souhaiterait trouver d'autres moyens de réduire ce taux de roulement, qu'il trouve encore trop élevé. Selon Annie, M. Gère devrait mettre l'accent sur la rémunération intrinsèque.

Bien qu'Annie soit la conseillère de l'usine de Montréal seulement, M. Gère lui demanda aussi de l'information au sujet des programmes de rémunération incitative chez les cadres. En effet, l'entreprise vit également un problème de rétention auprès de ses cadres supérieurs. Sur huit, seuls trois d'entre eux travaillent pour l'entreprise depuis longtemps. Les autres cadres supérieurs quittent généralement leur poste après seulement 3 ans. M. Gère souhaite qu'Annie lui propose une stratégie qui solliciterait un engagement à plus long terme pour l'ensemble de ses cadres supérieurs.

Questions 9.1

1. Quels sont les objectifs de la gestion de la rémunération globale? Nommez-en quatre et expliquez-les.

2. Que suggérez-vous à M. Gère au sujet du taux de roulement de ses employés d'usine? Et de celui de ses dirigeants?

3. À quoi Annie fait-elle référence lorsqu'elle parle de rétribution intrinsèque?

4. Pourquoi l'ancienneté peut-elle être un facteur de reconnaissance ?

....

....

....

....

....

....

5. Quels sont les risques du type de rémunération au rendement des employés d'assemblage? Expliquez-en trois.

....

....

....

....

....

....

6. Que pensez-vous du programme incitatif concernant la santé-sécurité au travail?

....

....

....

....

....

....

9.2. Produire une échelle salariale

Vous êtes étudiant au baccalauréat en gestion des ressources humaines et vous discutez avec votre cousine Stéphanie, conseillère RH pour la boîte de production *JpassàTV*. Cette entreprise est le résultat d'une fusion récente entre les boîtes de production *Jpass* et ÀTV. Aujourd'hui, *JpassàTV* embauche près de 120 employés. Elle produit plusieurs téléromans populaires, dont une majorité est diffusée sur les chaines généralistes, aux heures de grande écoute. Bien que les comédiens soient embauchés de façon contractuelle, les équipes de tournage, elles, sont permanentes. Ainsi, un même caméraman peut travailler sur différents plateaux de tournage dans une même semaine. Pour chaque projet, une équipe de production est formée. Elle compte généralement un scripteur, un producteur, un concepteur et quelques recherchistes. Ces équipes collaborent à la réalisation du projet avec les techniciens présents sur les plateaux de tournage. Pour l'ensemble des plateaux de tournage, le personnel technique compte près d'une quinzaine de caméramans, une dizaine de preneurs de son, presque autant d'accessoiristes, d'assistants aux décors, d'habilleuses, de stylistes et de maquilleuses. Les équipes de postproduction, formées de monteurs, de concepteurs graphiques et producteurs de musique, complètent le travail des équipes de tournage. L'administration de *JpassàTV* est formée d'une trentaine de personnes responsables de la gestion des différents projets, notamment sur le plan budgétaire.

Il y a quelque temps, la direction de Production *JpassàTV* a avisé Stéphanie qu'elle devait revoir le programme d'équité salariale. En effet, la fusion des deux entreprises de production a engendré de nombreux changements à l'interne. La répartition des tâches sur les plateaux de tournage des deux anciennes entreprises n'avait pas été immédiatement standardisée et certaines différences subsistaient dans les responsabilités associées à chaque poste. Par exemple, chez Production *Jpass*, l'assistant aux décors faisait pratiquement les mêmes tâches que l'accessoiriste, alors que chez Production ÀTV, les deux postes étaient bien distincts. Maintenant que les descriptions de postes ont été réécrites et que les nouvelles fonctions ont été adoptées par tout le monde, il faudra ajuster la grille salariale. Pour éviter les erreurs, Stéphanie a décidé de reprendre de A à Z la procédure qui avait servi à l'implantation de l'équité salariale il y a de cela quelques années. Ce sujet vous intéresse vivement puisque vous venez de compléter votre cours en rémunération. Vous lui demandez donc qu'elle vous explique la procédure qu'elle compte employer.

Tout d'abord, voici la grille de facteurs et de sous-facteurs d'évaluation des emplois qu'elle utilisera :

Facteurs	Sous-facteurs	Maximum de points
Qualifications requises	- Scolarité	160
	- Expérience	140
	- Connaissance de machines et d'équipements	120
	- Nécessité de précision et de dextérité	100
Efforts requis	- Effort physique	150
	- Effort mental (Concentration)	100
Conditions de travail	- Exposition aux accidents	120
	- Longues journées de travail	110
Total		1000

Pour être certaine que vous comprenez bien le fonctionnement d'une telle grille, votre cousine vous présente le descriptif du sous-facteur *Scolarité*.

Niveau	Description : *Scolarité*	Pointage
1	Détenir un diplôme d'études secondaires (DES)	0
2	Détenir un diplôme d'études collégiales – formation générale (DEC)	40
3	Détenir un diplôme d'études professionnelles (DEP) ou un diplôme d'études collégiales – formation technique (DEC)	80
4	Détenir un diplôme universitaire de 1er cycle	120
5	Détenir un diplôme universitaire de 2e cycle	160

Cette grille vous fait douter de la rigueur du processus d'équité salariale que compte instaurer votre cousine. Vous décidez alors de la questionner sur les méthodes qu'elle utilisera pour sa collecte d'informations. Elle vous explique que, par exemple, Roger, son plus ancien chargé de projet, détient une maitrise en art cinématographique. Par conséquent, l'emploi de chargé de projet cumulera 160 points au sous-facteur *scolarité*. Quant au poste de caméraman, il obtiendra 80 points, puisque ce poste requiert un DEP ou toute autre formation professionnelle pertinente.

Pour être certaine d'avoir les informations adéquates, Stéphanie compte passer des questionnaires au personnel responsable des projets, tels que les producteurs, les scripteurs et les recherchistes. Pour ce qui est du personnel technique, Stéphanie utilisera les descriptions de poste. Puisque celles-ci viennent d'être mises à jour, elle est certaine que les informations s'y trouvant sont exactes.

Cette discussion avec votre cousine vous laisse sceptique. Il vous semble que certains éléments ne concordent pas du tout avec la façon de faire qu'on vous a apprise en classe…

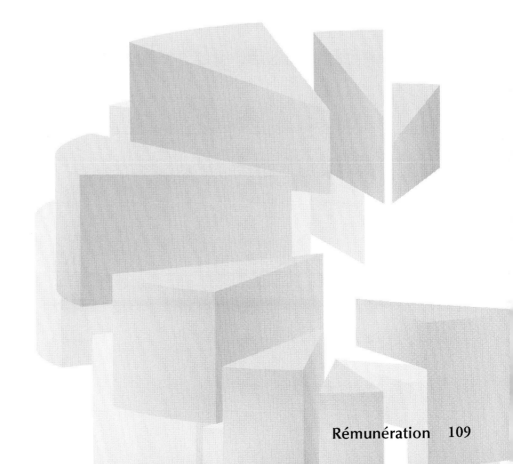

Question 9.2

1. À quoi sert l'implantation d'une structure salariale? Nommez trois objectifs.

2. D'après ce que vous a raconté Stéphanie, quelles erreurs décelez-vous dans sa démarche visant la révision de l'échelle salariale?

3. Quelles sont les étapes suivantes dans la mise en œuvre de l'équité salariale?

4. Stéphanie était-elle dans l'obligation de revoir l'équité salariale? De plus, aurait-elle pu effectuer l'analyse des emplois d'une partie seulement des employés?

_____

_____

_____

_____

_____

_____

5. Quels sont les avantages de la méthode par points et facteurs? Nommez-en trois.

_____

_____

_____

_____

_____

_____

6. Malgré ces nombreux avantages, cette méthode est-elle sans risque? Pourquoi?

_____

_____

_____

_____

_____

_____

9.3. La rémunération à la mode

Jessica est étudiante et vendeuse à temps partiel dans une boutique de vêtements appelée *Explosif*. La clientèle de la boutique est constituée d'adolescentes et de jeunes adultes, donc des filles âgées entre 16 à 25 ans. Les vêtements qui y sont vendus sont très tendance et relativement abordables, quoique légèrement inférieurs en qualité comparativement à ceux d'autres boutiques plus haut de gamme.

Au début, Jessica était très heureuse de son emploi; non seulement était-ce une boutique très populaire auprès des filles de son âge, mais elle obtenait en plus un rabais à l'achat de vêtements. Ce qui la fait maintenant songer sérieusement à quitter son emploi, c'est son salaire. En effet, Jessica prévoit bientôt s'acheter une voiture, et elle doit par conséquent amasser un montant d'argent assez important. Or, elle considère que son emploi est peu payé en comparaison de l'emploi de son amie, Audréanne, qui travaille aussi dans une boutique de vêtements.

Chez *Explosif*, la direction souhaite mettre l'accent sur le travail d'équipe des vendeuses. Ainsi, toutes les vendeuses à temps partiel reçoivent un salaire de départ équivalant au salaire minimum majoré de 50 cents. Aux six mois, les employées obtiennent une augmentation de salaire de 25 cents l'heure. De plus, lorsque la boutique atteint ses objectifs de vente mensuels, toutes les vendeuses à temps partiel obtiennent une prime (ou bonus) représentant 8 % de leur salaire mensuel, ce qui représente environ 50 $. Dans le cas des vendeuses travaillant à temps plein, soit plus de 35 heures par semaine, le même système est instauré, ce qui leur donne une prime de près de 140 $ par mois. Les seules personnes n'ayant pas droit à cette prime mensuelle sont la gérante et l'aide-gérante. Ces dernières reçoivent un salaire équivalant à la moyenne des salaires des gérantes de boutiques de mode concurrentes. La gérante et l'aide-gérante ont également droit à une prime, mais celle-ci est déterminée en fonction de la performance de la boutique sur une base annuelle.

Quant à Audréanne, elle travaille chez *AuCuir*. Il s'agit d'une boutique de vêtements et de manteaux de cuir haut de gamme, située tout près du quartier le plus nanti de la ville. Cette boutique est beaucoup plus petite qu'*Explosif*. En moyenne, seulement trois employés sont nécessaires sur chaque quart de travail, contre une dizaine *chez Explosif*. Audréanne est étudiante en technique de mode et a déjà travaillé deux ans dans une autre boutique similaire. Elle est très contente de son emploi chez *AuCuir*, car la rémunération est très compétitive. En effet, compte tenu de son expérience, son salaire horaire dépasse le salaire minimum de 3 $. Afin que les employés fournissent un effort constant dans la vente, on leur offre une commission représentant 2 % de leurs ventes. Lors des périodes d'achalandage habituelles, Audréanne peut réussir à vendre pour 2000 $ en un week-end. Cela équivaut donc à une commission de 160 $ par mois.

Jessica envie la rémunération de son amie et souhaiterait trouver une boutique qui offrirait une rémunération plus avantageuse.

Questions 9.3

1. Nommez et expliquez les formes d'équité pertinentes dans ce cas.

....

....

....

....

....

....

....

2. Nommez deux facteurs internes et deux facteurs externes susceptibles d'influencer la stratégie de rémunération de ces deux entreprises et expliquez comment ces facteurs influencent chacune d'elles.

....

....

....

....

....

3. Quelle méthode est utilisée par la boutique *Explosif* pour déterminer la rémunération de sa gérante et de son aide-gérante? À quel type d'équité cela correspond-il et quels sont les inconvénients de cette méthode de rémunération?

....

....

....

....

....

....

4. De façon générale, qu'ont en commun les entreprises offrant une rémunération à la tête du marché?

....

....

....

....

....

5. De façon générale, quels peuvent être les obstacles à l'efficacité de la rémunération au rendement?

....

....

....

....

....

9.4. Compliquée, la rémunération indirecte!

Vous travaillez dans une grande entreprise du secteur des services. Aujourd'hui, vous avez discuté avec Vien Dhayeur, le nouvel employé. Vien a 45 ans et habite au Québec depuis seulement quatre ans. À son arrivée, Vien a dû retourner à l'école afin d'assurer la compatibilité de sa formation avec les normes québécoises. Récemment, il a obtenu sa citoyenneté canadienne. Bien qu'il habite ici depuis quelques années, il semble que certaines pratiques concernant la rémunération indirecte soient encore confuses pour lui.

Lors de votre rencontre, le sujet de la discussion est tombé sur les soins de santé au Québec, dont Vien en apprécie la gratuité. Vous en avez profité pour lui rappeler que l'entreprise offre également un régime d'assurance privée. Après vous avoir indiqué qu'il était déjà au courant, il entreprit de vous résumer ce qu'il en retenait. Bien vite, vous vous êtes rendu compte que Vien n'a pas très bien compris ce qu'il y avait à savoir sur les régimes privés d'assurance de soins de santé. En effet, selon lui, l'entreprise doit débourser une franchise pour chacun des employés avant que ceux-ci puissent bénéficier du régime d'assurance. Lors de l'achat de médicaments, l'employé doit aussi débourser une franchise qui correspond au montant non remboursable. À cela s'ajouterait le minimum payable, c'est-à-dire le montant minimal que l'employé devra dépenser chaque année pour chaque service s'il veut toujours pouvoir bénéficier de ceux-ci. Vous avez bien entendu ressenti le besoin de corriger les renseignements erronés que détenait votre collègue au sujet des régimes privés d'assurance de soins de santé.

Dès votre rapide leçon terminée, Vien vous questionna sur une de ses préoccupations. Il vous expliqua que son fils, âgé de 22 ans, occupe un poste relativement dangereux pour sa santé et sa sécurité. Il se demande ce qu'il adviendra si ce dernier a un accident de travail, ou s'il se retrouve invalide. Après lui avoir confirmé que l'ensemble de la population était protégé grâce à des régimes publics, vous lui avez mentionné que plusieurs entreprises offraient des régimes d'assurance salaire de courte et longue durée. En guise d'exemple, vous lui avez expliqué les modalités de celui qu'offre votre employeur.

À la fin de votre pause-diner, Vien vous souhaite à la prochaine. Vous lui dites alors que vous ne vous croiserez pas de si tôt, puisque votre femme est sur le point d'accoucher et que vous partirez donc d'ici quelques jours en congé parental. Vous êtes d'ailleurs bien content que l'entreprise offre un service de garderie.

À la suite de cette discussion, vous êtes retourné à votre bureau en vous disant que le service des ressources humaines n'avait pas très bien fait son travail quant à l'explication des politiques internes de l'entreprise…

Questions 9.4

1. Vraisemblablement, M. Dhayeur n'avait pas été informé convenablement des différents régimes par lesquels il est couvert. Qu'est-ce qu'une entreprise peut faire pour éviter ce genre de situation?

2. Corrigez M. Dhayeur en ce qui concerne les termes associés au régime d'assurance privée pour soins de santé.

3. Quelles sont les quatre catégories dans lesquelles peuvent être classés les éléments de la rémunération indirecte? Placez dans la catégorie appropriée chaque élément du régime d'avantages sociaux abordé dans ce cas.

4. Qui finance les différents régimes publics dont il a été fait mention?

....

....

....

....

....

....

5. Donnez trois exemples de services supplémentaires dont pourrait bénéficier un employé ayant un régime de santé privé par rapport à un autre ayant seulement le régime public.

....

....

....

....

....

....

9.5. Des besoins qui changent...

Vous êtes conseiller RH pour une grande entreprise du secteur de l'aérospatiale appelée *Yvol-O*. L'entreprise se spécialise dans les avions et les hélicoptères. Son siège social est situé à Toronto, mais *Yvol-O* compte également des ateliers de recherche à Montréal et dans l'état de New York, ainsi que quatre usines situées à des endroits stratégiques en Amérique. Ses 1500 employés sont principalement des ingénieurs, des techniciens provenant des écoles spécialisées en aérospatiale, des gestionnaires ainsi que du personnel administratif. L'entreprise est prospère grâce à la compétence de plusieurs PME québécoises auxquelles elle octroie plusieurs contrats de sous-traitance, par exemple pour la conception de matériaux de composite, le traitement de surface ou le préassemblage de certaines pièces. *Yvol-O* a choisi de concentrer ses activités sur sa spécialisation, soit la conception ainsi que la recherche et le développement.

Récemment, vous avez produit un sondage portant sur la rémunération. De façon générale, les employés sont relativement satisfaits de leur salaire fixe lorsqu'ils se comparent aux employés occupant des postes similaires dans le même secteur d'activité. En effet, afin d'éviter les menaces de syndicalisation, l'entreprise a décidé d'offrir des salaires à la tête du marché. Les employés ne voudraient pas voir leur salaire diminuer en raison de cotisations syndicales, entre autres choses.

Par contre, les employés ont noté certaines insatisfactions en ce qui a trait aux avantages sociaux. Lorsque vous faites cette remarque au VP ressources humaines, celui-ci répondit que les employés ne sont simplement pas conscients de la chance qu'ils ont. En effet, il y a vingt ans, les employés ont largement insisté pour que la direction mette en place un régime de retraite non contributif. Or, les coûts de ce régime de retraite sont très élevés. En raison des coûts de ce programme, le seul autre régime que l'entreprise se permet de leur offrir est un régime privé d'assurance de soins de base. Celui-ci permet le remboursement de seulement 50 % de tous les soins dentaires et optiques et 60 % des frais de médicaments. Les employés doivent aussi payer une franchise de 200 $ pour une famille, 125 $ pour un couple et de 75 $ pour un célibataire.

Plusieurs employés on fait remarquer qu'ils n'utilisent même pas le régime de soins de santé, puisque celui de leur conjoint ou conjointe était plus avantageux. En contrepartie, des commentaires présents dans le sondage indiquent que les cadres accordent beaucoup d'intérêt aux avantages tels qu'une voiture payée par la compagnie ou l'accès à des voyages de perfectionnement pour assister à des séminaires à travers le monde.

Vous cherchez une stratégie pour convaincre votre vice-président aux ressources humaines de reconsidérer les demandes des employés. Vous remarquez alors que, lors de l'implantation du régime de retraite non contributif, la moyenne d'âge des employés était de 45 ans. Or, depuis, l'entreprise a connu beaucoup de départs à la retraite, et la moyenne d'âge est tombée à 34 ans. Il vous semble donc normal que les intérêts des employés aient changé depuis.

Enfin, vous avez constaté lors d'entrevues de départ volontaire que bon nombre de jeunes employés avaient signifié qu'ils démissionnaient en raison de l'absence de possibilités de conciliation travail-famille. Votre VP RH ne fait aucun lien avec les avantages sociaux. Pourtant, il vous semble que cela est bel et bien lié!

Questions 9.5

1. Que suggérez-vous au vice-président aux ressources humaines en ce qui a trait spécifiquement à la gestion de la rémunération indirecte? Exposez les avantages et les inconvénients de cette proposition.

2. Quels sont les avantages d'un régime de retraite contributif et ceux d'un régime de retraite non contributif? Nommez deux avantages pour chacune des formules.

3. Que conseillez-vous au vice-président aux ressources humaines afin de bonifier les avantages sociaux spécifiquement au regard de l'intérêt que porte la majorité des employés quant à la conciliation travail-famille?

Exercice 9.1. La méthode des points et facteurs

La méthode des points et facteurs est la méthode la plus répandue pour évaluer les emplois. Ces évaluations permettent d'élaborer une échelle salariale tout en respectant les principes d'équité en emploi.

Dans le cadre de cet exercice, vous devrez évaluer les emplois de travailleurs sociaux, de manœuvres aux travaux publics et d'ingénieurs civils avec la méthode des points et facteurs. Pour y parvenir, il vous faudra utiliser les descriptions d'emploi extraites de la Classification nationale des professions (CNP) ainsi que la grille de facteurs et de sous-facteurs présentée ci-dessous.

Vous devrez d'abord définir les échelles pour les facteurs expérience et scolarité. Vous devrez vous-même construire une échelle respectant les critères de précision, discrimination, redondance, exclusivité, continuité et exhaustivité (étape 1).

Ensuite, indiquez dans le tableau prévu à cet effet le nombre de points attribués pour chaque sous-facteur (étape 2). Accordez une importance particulière aux notes en bas de page, qui apportent des précisions sur les termes utilisés dans les échelles de mesure. Pour trouver le salaire attendu de l'emploi de travailleur social, suivez les étapes 3 à 5.

Notez que les sous-facteurs sélectionnés dans cet exercice ne représentent pas les seuls sous-facteurs utilisés sur le marché du travail. En effet, les évaluateurs en utilisent souvent davantage. Par exemple, on pourrait aussi retrouver l'autonomie, les contacts interpersonnels, l'adaptabilité, la créativité, l'analyse de l'information, les responsabilités en regard du matériel et des équipements...

1. Rédigez les niveaux d'évaluation pour les échelles de mesure de l'expérience et de la scolarité, comme indiqué plus haut.

2. Dans le tableau de pointage, encerclez le pointage associé au niveau sélectionné. Calculez ensuite le total des points en respectant la pondération associée à chacun des facteurs.

Remarquez que dans la grille de points, le nombre de points associés à chaque niveau est déterminé par une suite arithmétique. Cela signifie que l'écart est constant entre les niveaux pour un facteur d'évaluation. Notez qu'il ne s'agit pas de la seule façon d'établir le pointage associé à chaque niveau, mais qu'il s'agit tout de même de la plus répandue.

Descriptions d'emploi
Extraits de la classification nationale des professions

Travailleurs sociaux/travailleuses sociales (4152)[9]

Les travailleurs sociaux aident les personnes, les couples, les familles, les groupes, les collectivités et les organismes à acquérir les compétences et les ressources dont ils ont besoin pour améliorer leur fonctionnement en société, et ils offrent des services de counseling, de thérapie et de référence à d'autres services de soutien social. Les travailleurs sociaux comblent également d'autres besoins de la société en matière de chômage, de racisme et de pauvreté. Ils travaillent dans des centres hospitaliers, des conseils et commissions scolaires, des organismes de services sociaux, des services de protection de l'enfance, des établissements correctionnels, des organismes communautaires, des programmes d'aide aux employés et des conseils de bandes autochtones, ou ils peuvent exercer en milieu privé.

Fonctions principales

Les travailleurs sociaux exercent une partie ou l'ensemble des fonctions suivantes :

- rencontrer les clients individuellement, en famille ou en groupe pour évaluer leur situation et leurs problèmes et déterminer la nature des services dont ils ont besoin;

- conseiller les clients et leur offrir de la thérapie pour les aider à acquérir les aptitudes nécessaires pour régler leurs problèmes sociaux et personnels;

- prévoir des programmes d'aide à l'intention des clients, notamment un service de référence aux organismes qui offrent de l'aide financière, de l'aide juridique, des services d'hébergement, des soins médicaux et autres services;

- enquêter sur les cas de mauvais traitements ou de négligence envers les enfants et prendre les mesures de protection permises qui s'imposent, au besoin;

- faire partie d'une équipe multidisciplinaire de spécialistes intervenant auprès de groupes de clients;

- défendre les intérêts de groupes de clients dans la collectivité, faire pression pour obtenir des solutions aux problèmes qui touchent directement ces groupes et élaborer des programmes de prévention et d'intervention pour satisfaire les besoins de la collectivité;

- élaborer des politiques sociales ou donner des conseils sur celles-ci, mener des recherches sociales et aider au développement communautaire;

- fournir des services de médiation et d'évaluation psychosociale;

---

[9] Adapté de : Classification nationale des professions, Travailleurs sociaux/ travailleuses sociales 4152. [En ligne] (Consulté le 18 mars 2013) http://www5.hrsdc.gc.ca/noc/Francais/CNP/2011/RechercheRapide.aspx?val65=4152

- évaluer l'efficacité des programmes de counseling et de services sociaux;

- fournir, au besoin, des services d'information publique et de consultation auprès des professionnels ou des groupes au sujet des services, des questions et des méthodes de counseling;

- superviser, s'il y a lieu, d'autres travailleurs sociaux.

Les travailleurs sociaux peuvent se spécialiser dans des champs de pratique comme la protection de l'enfance, les services à la famille, les services correctionnels, la gérontologie ou l'alcoolisme et la toxicomanie.

Conditions d'accès à la profession

- Un baccalauréat en travail social est exigé à Terre-Neuve-et-Labrador, en Nouvelle-Écosse, à l'Île-du-Prince-Édouard, au Nouveau-Brunswick, au Québec, en Ontario, au Manitoba, en Saskatchewan, en Colombie-Britannique, dans les Territoires du Nord-Ouest et au Nunavut.

- Un stage pratique sous surveillance est habituellement exigé.

- La réussite aux examens écrits et oraux de la province peut être exigée.

- L'appartenance à un organisme de réglementation provincial est exigée à Terre-Neuve-et-Labrador, en Nouvelle-Écosse, à l'Île-du-Prince-Édouard, au Nouveau-Brunswick, au Québec, en Ontario et en Alberta pour exercer la profession de travailleur social.

- L'emploi des titres professionnels « travailleur social » et « travailleur social autorisé » est réglementé dans toutes les provinces.

- L'appartenance à une association provinciale de travailleurs sociaux est habituellement exigée.

Manœuvres à l'entretien des travaux publics (7621) [10]

Les manœuvres à l'entretien des travaux publics exécutent une variété de tâches inhérentes à l'entretien des trottoirs, des rues, des routes et d'autres endroits analogues. Ils travaillent pour les services des travaux publics de tous les niveaux de gouvernement, ou pour des entrepreneurs à contrat avec le gouvernement.

Exemples d'appellations d'emploi

aide–collecte des ordures
nettoyeur/nettoyeuse de trottoir
ouvrier/ouvrière à l'entretien des égouts

---

[10] Adapté de : Classification nationale des professions, Manœuvres à l'entretien des travaux publics (7621). [En ligne] (Consulté le 18 mars 2013) http://www5.hrsdc.gc.ca/noc/Francais/CNP/2011/RechercheRapide.aspx?val65=7621

Fonctions principales

Les manœuvres à l'entretien des travaux publics exercent une partie ou l'ensemble des fonctions suivantes :

- nettoyer et entretenir les trottoirs, les rues, les routes et les terrains publics des municipalités et d'autres lieux, comme membres d'une équipe de travail;

- balayer les détritus et enlever la neige encombrant les rues, les trottoirs, les terrains d'immeubles, et d'autres lieux, et charger la neige et les détritus dans des chariots ou des camions;

- charger du ciment et d'autres matériaux à la pelle dans une bétonnière, étendre du béton et de l'asphalte à l'aide de pelles, de râteaux et de lisseurs, et exécuter d'autres tâches pour aider à l'entretien et à la réfection des routes;

- répandre du sable ou du sel sur les trottoirs pour faire fondre la neige et la glace;

- creuser des fossés et des tranchées à la pelle ou à l'aide d'autres outils manuels;

- utiliser des marteaux pneumatiques et des tamponnoirs pour briser les surfaces pavées;

- charger et décharger le matériel et l'équipement des camions;

- recueillir l'argent des parcomètres situés le long d'un parcours préétabli;

- ramasser et charger les déchets sur les camions;

- aider les conducteurs d'équipement à vérifier les attaches de l'équipement ou des camions;

- aider à l'entretien courant et à la réparation du matériel;

- aider des ouvriers qualifiés tels les menuisiers, les plombiers et les mécaniciens;

- conduire, s'il y a lieu, des véhicules destinés au nettoyage des trottoirs.

Conditions d'accès à la profession

- Une formation en cours d'emploi de plusieurs semaines est offerte.

Renseignements supplémentaires

- L'expérience permet d'accéder à des postes de supervision ou de conducteur de machinerie d'entretien public.

Ingénieurs civils/ingénieures civiles (2131)[11]

Les ingénieurs civils planifient, conçoivent, élaborent et dirigent des projets de construction ou de réparation de bâtiments, de structures terrestres, de centrales électriques, de routes, d'aéroports, de chemins de fer, de réseaux de transport rapide, de ponts, de tunnels, de canaux, de barrages, d'installations portuaires et côtières ainsi que de systèmes liés aux services routiers et de transport, aux services de distribution d'eau et aux services sanitaires. Les ingénieurs civils peuvent également se spécialiser dans l'analyse des fondations, dans l'inspection des bâtiments et des charpentes, dans l'arpentage, dans la géomatique et dans la planification municipale. Ils travaillent dans des firmes d'ingénieurs-conseils, à tous les échelons du gouvernement, dans des entreprises de construction et dans de nombreux autres secteurs industriels, ou ils peuvent être des travailleurs autonomes.

Fonctions principales

- Les ingénieurs civils exercent une partie ou l'ensemble des fonctions suivantes :

- s'entretenir avec les clients et les autres membres de l'équipe d'ingénieurs et effectuer des recherches pour déterminer les exigences relatives à la réalisation des projets;

- planifier et concevoir de grands ouvrages de génie civil tels que des bâtiments, des routes, des ponts, des barrages, des installations d'alimentation en eau et de gestion des déchets et des ouvrages en acier structurel;

- élaborer des devis descriptifs et des méthodes de construction;

- évaluer divers matériaux de construction et formuler des recommandations à ce sujet;

- étudier, interpréter et approuver des travaux d'arpentage et des ouvrages de génie civil;

- fournir des services de génie civil sur le terrain;

- s'assurer que les plans satisfont aux lignes directrices, aux prescriptions des codes du bâtiment et à d'autres règlements;

- préparer les calendriers d'exécution et voir à ce qu'ils soient respectés;

- effectuer des études de faisabilité, des analyses économiques, des études sur la circulation municipale et régionale, des études des répercussions sur l'environnement et autres études;

- surveiller la qualité de l'air, de l'eau et du sol et élaborer des méthodes de nettoyage des sites contaminés;

- effectuer des analyses techniques des données de levés afin d'obtenir des renseignements sur la topographie, le sol, l'hydrologie et autres renseignements et rédiger des rapports;

---

[11] Adapté de : Classification nationale des professions, Ingénieurs civils/ingénieures civiles (2131) [En ligne] (Consulté le 18 mars 2013) http://www5.hrsdc.gc.ca/noc/Francais/CNP/2011/RechercheRapide.aspx?val65=2131

- agir à titre de chargé de projet ou de chantier pour les travaux d'arpentage ou de construction;

- préparer des documents contractuels et étudier et évaluer des soumissions concernant des projets de construction;

- superviser le travail des techniciens, des technologues et autres ingénieurs et examiner et approuver des travaux de conception, des calculs et des estimations de coûts.

Conditions d'accès à la profession

- Un baccalauréat en génie civil ou dans une discipline connexe du génie est exigé.

- Un doctorat ou une maîtrise dans une discipline connexe du génie peut être exigé.

- L'appartenance à une association provinciale ou territoriale d'ingénieurs professionnels est exigée pour approuver des dessins et des rapports techniques et pour exercer la profession à titre d'ingénieur (Ing.).

- L'affiliation à une association professionnelle est possible après l'obtention d'un diplôme dans un programme d'enseignement agréé, une expérience de travail de trois ou quatre ans sous supervision en génie et la réussite d'un examen sur l'exercice de la profession.

- La certification Leadership in Energy and Environmental Design (LEED) est offerte par le Conseil du bâtiment durable du Canada et peut être exigé par certains employeurs.

Renseignements supplémentaires

- Il y a une très grande mobilité entre les spécialisations de génie civil dans les postes de niveau inférieur.

- L'expérience est exigée afin d'accéder à des postes supérieurs ou de supervision dans ce groupe de base.

- Les ingénieurs travaillent souvent dans un environnement multidisciplinaire et acquièrent des connaissances et des compétences qui leur permettent d'exercer leur profession dans les domaines connexes des sciences, du génie, des ventes, de la commercialisation ou de la gestion.

Échelles d'évaluation des emplois[12]

1. Qualifications requises

1.1. Expérience : représente le nombre d'années d'expérience requises pour exécuter les tâches de l'emploi, expérience acquise dans un emploi connexe et lors de la période de formation et d'adaptation pour cet emploi.

Niveau 1	
Niveau 2	
Niveau 3	
Niveau 4	
Niveau 5	

1.2. Scolarité : représente le minimum de formation requis pour l'emploi.

Niveau 1	
Niveau 2	
Niveau 3	
Niveau 4	
Niveau 5	

---

[12] Adapté de : Syndicat canadien de la fonction publique, Plan d'évaluation des emplois sans égard au genre du SCFP, préparé par SCFP évaluation des emplois

Fédération du professionnel des universités, Questionnaire d'évaluation des emplois du personnel professionnel, mars 2007.

St-Onge Sylvie et Rolland Thériault (2006). Gestion de la rémunération. Théorie et pratique. 2e édition. Gaëtan Morin éditeur, chenelière éducation : Montréal, page 160.

	1.3. Dextérité/habileté motrice : habileté à bouger avec agilité, précision, rapidité ou coordination. Par exemple : la motricité fine, le doigté rapide, la maitrise musculaire d'une ou plusieurs parties du corps.
Niveau 1	L'emploi exige l'exécution de tâches qui demandent de la coordination de mouvements grossiers.
Niveau 2	L'emploi exige l'exécution de tâches qui demandent de la coordination de mouvements grossiers où la vitesse d'exécution est modérée. Ou La coordination de mouvements grossiers et délicats où la vitesse d'exécution est mineure.
Niveau 3	L'emploi exige l'exécution de tâches qui demandent de la coordination de mouvements grossiers où la vitesse d'exécution est majeure. Ou La combinaison de mouvements grossiers et délicats où la vitesse d'exécution est modérée. Ou La coordination de mouvements délicats où la vitesse d'exécution est mineure.
Niveau 4	L'emploi exige l'exécution de tâches qui demandent de la coordination de mouvements grossiers et délicats où la vitesse d'exécution est majeure. Ou La coordination de mouvements délicats où la vitesse d'exécution est modérée.
Niveau 5	L'emploi exige l'exécution de tâches qui demandent de la coordination de mouvements délicats où la vitesse d'exécution est majeure.

2. Responsabilité

2.1. Responsabilité du travail des autres[13] : évalue dans quelle mesure le titulaire de l'emploi est tenu de surveiller le travail d'autres personnes employées de l'employeur ainsi que des personnes employées d'autres organisations.

Niveau 1	Cet emploi ne requiert aucune responsabilité de coordination ou de supervision directe de personnel. Le titulaire doit parfois aider les membres du personnel en leur donnant des renseignements.
Niveau 2	Cet emploi requiert de coordonner régulièrement le travail d'autres personnes de l'entreprise qui occupent des emplois de même nature.
Niveau 3	Cet emploi requiert de coordonner régulièrement le travail d'autres personnes de l'entreprise qui occupent des emplois de nature différente.
Niveau 4	Cet emploi requiert de superviser directement des personnes de l'entreprise qui occupent des emplois de même nature.
Niveau 5	Cet emploi requiert de superviser directement des personnes de l'entreprise qui occupent des emplois de nature différente.

3. Efforts

3.1 Physiques[14] : Mesure le type et la durée des efforts physiques requis dans le cadre de l'emploi. L'énergie dépensée peut provenir par exemple de l'inconfort d'une posture, de conditions de déplacement, de l'effort déployé.

Niveau 1	Le travail exige généralement peu d'efforts physiques.
Niveau 2	Le travail exige à l'occasion un effort physique modéré.
Niveau 3	Le travail exige fréquemment un effort physique modéré. Ou À l'occasion un effort physique important.
Niveau 4	Le travail exige fréquemment un effort physique important. Ou À l'occasion un effort physique très important.
Niveau 5	Le travail exige fréquemment un effort physique important.

---

[13] Coordonner : assigner, répartir et s'assurer que le travail d'autres personnes est conforme aux normes ou aux indications reçues.
Superviser : planifier le travail, établir les exigences, évaluer le rendement et prendre les mesures disciplinaires envers d'autres personnes.
Définitions tirées de la Commission de l'équité salariale (2009). Guide détaillé pour réaliser l'équité salariale et en évaluer le maintien, 4e édition, page 143.

[14] Effort modéré : marcher beaucoup ou travailler debout ou demeurer assis pendant de longues périodes avec peu d'occasions de changer de posture ou être dans des positions inconfortables ou déplacer ou manipuler des poids de moins de 10 kg. Effort important : maintenir des postures inconfortables ou monter et descendre des échelles ou des escaliers ou déplacer ou manipuler des poids de 10 kg à 25 kg. Effort très important : maintenir des postures particulièrement inconfortables pendant des périodes de temps relativement longues ou déplacer ou manipuler des poids de plus de 25 kg. Définitions tirées de Syndicat canadien de la fonction publique, Plan d'évaluation des emplois sans égard au genre du SCFP, préparé par SCFP évaluation des emplois, page 15.

3.2. Intellectuels : Ce sous-facteur mesure la période de temps durant laquelle une concentration mentale, visuelle ou auditive est requise à l'emploi. On doit prendre en considération à la fois la fréquence et la durée de l'effort.

Niveau 1	Une fois de temps en temps, la plupart des jours, jusqu'à concurrence d'une heure complète à la fois.
Niveau 2	Plusieurs fois par jour ou au moins quatre jours par semaine, jusqu'à concurrence d'une heure complète à la fois. Ou Une fois de temps en temps, la plupart des jours, plus d'une heure, jusqu'à concurrence de deux heures complètes.
Niveau 3	Jusqu'à concurrence d'une heure complète à la fois, presque continuellement. Ou Plusieurs fois par jour ou au moins quatre jours par semaine, plus d'une heure, jusqu'à concurrence de deux heures complètes. Ou Une fois de temps en temps, la plupart des jours, pour des périodes de plus de deux heures.
Niveau 4	Des périodes de plus de deux heures, plusieurs fois par jour ou au moins quatre jours par semaine Ou Des périodes de plus d'une heure mais moins de deux heures presque continuellement
Niveau 5	Des périodes de plus de deux heures presque continuellement.

4. Conditions de travail

4.1 Environnement physique : décrit le niveau et la fréquence de l'inconfort, le désagrément de certaines conditions physiques du milieu de travail, et ce, en tenant compte de la présence de systèmes et d'appareils de prévention. Les éléments de désagrément sont tous ceux pouvant affecter l'un ou l'autre des sens de la personne, tels que la poussière, les odeurs, la chaleur, le bruit, les vibrations.

Niveau 1	L'emploi s'exerce dans un milieu de travail avec peu ou pas d'exposition à des éléments physiques d'inconfort ou de désagréments.
Niveau 2	L'emploi nécessite une exposition occasionnelle à des éléments physiques d'inconfort mineur.
Niveau 3	L'emploi nécessite une exposition régulière à des conditions désagréables mineures. Ou Une exposition occasionnelle à des conditions désagréables majeures.
Niveau 4	L'emploi nécessite une exposition fréquente à des désagréments mineurs. Ou Une exposition régulière à des conditions désagréables majeures.
Niveau 5	L'emploi comporte une exposition fréquente à des désagréments majeurs.

4.2. Risque physique : mesure le type et la fréquence des risques d'accidents et de maladies auxquels le titulaire de l'emploi est exposé dans le cadre de son emploi, et ce, en tenant compte de la présence de systèmes et d'appareils de prévention.

Niveau 1	L'emploi s'exerce dans un milieu de travail avec peu ou pas d'exposition à des risques.
Niveau 2	L'emploi nécessite une exposition occasionnelle à des risques mineurs.
Niveau 3	L'emploi nécessite une exposition régulière à des risques mineurs. Ou Une exposition occasionnelle à des risques majeurs.
Niveau 4	L'emploi nécessite une exposition fréquente à des risques mineurs Ou Une exposition régulière à des risques majeurs.
Niveau 5	L'emploi comporte une exposition fréquente à des risques majeurs.

Tableau de pointage

	Travailleurs sociaux/ travailleuses sociales (4152)					Manœuvres à l'entretien des travaux publics (7621)					Ingénieurs civils/ ingénieures civiles (2131)				
1. Qualifications requises (35 %)	**Niveaux**					**Niveaux**					**Niveaux**				
	1	2	3	4	5	1	2	3	4	5	1	2	3	4	5
1.1. Expérience	25	50	75	100	125	25	50	75	100	125	25	50	75	100	125
1.2. Scolarité	25	50	75	100	125	25	50	75	100	125	25	50	75	100	125
1.3. Dextérité manuelle	20	40	60	80	100	20	40	60	80	100	20	40	60	80	100
Sous-total	/350					/350					/350				
2. Responsabilité (30 %)	**Niveaux**					**Niveaux**					**Niveaux**				
	1	2	3	4		1	2	3	4		1	2	3	4	
2.1. De personnes	40	80	120	160		40	80	120	160		40	80	120	160	
	1	2	3	4	5	1	2	3	4	5	1	2	3	4	5
2.2. Du travail des autres	30	60	90	120	150	30	60	90	120	150	30	60	90	120	150
Sous-total	/310					/310					/310				
3. Efforts (25 %)	**Niveaux**					**Niveaux**					**Niveaux**				
	1	2	3	4	5	1	2	3	4	5	1	2	3	4	5
3.1. Physiques	25	50	75	100	125	25	50	75	100	125	25	50	75	100	125
3.2. Intellectuels	25	50	75	100	125	25	50	75	100	125	25	50	75	100	125
Sous-total	/250					/250					/250				
4. Conditions de travail (10 %)	**Niveaux**					**Niveaux**					**Niveaux**				
	1	2	3	4	5	1	2	3	4	5	1	2	3	4	5
4.1. Environnement physique	10	20	30	40	50	10	20	30	40	50	10	20	30	40	50
4.2. Risque physique	10	20	30	40	50	10	20	30	40	50	10	20	30	40	50
Sous-total	/100					/100					/100				
Total	**/1010**					**/1010**					**/1010**				

3. Indiquez ici le pointage total obtenu pour les trois emplois évalués :

Emplois	Pointage total	Salaire[15]
Travailleurs sociaux/travailleuses sociales (4152)		inconnu
Manœuvres à l'entretien des travaux publics (7621)		45 000 $/année
Ingénieurs civils/ingénieures civiles (2131)		75 000 $/année

4. Placez sur le graphique les deux emplois dont vous connaissez déjà le salaire, puis tracez la courbe représentant l'échelle salariale actuelle.

L'axe des x (horizontal) représente le pointage. L'axe des y (vertical) représente le salaire.

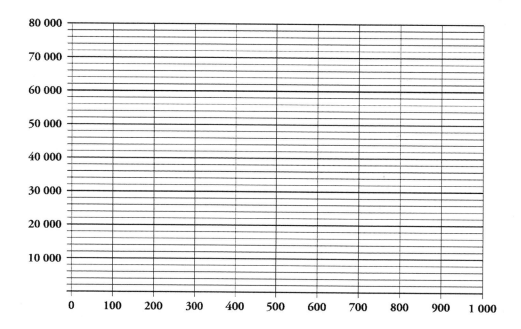

5. Dégagez la formule représentant la courbe du graphique. Utilisez les formules suivantes :

F(y)=a+bx   **B** = (y2-y1) / (x2-x1)
a = Remplissez la formule avec l'un des points (x,y) pour trouver « a »
* Arrondissez vos calculs à quatre décimales pour trouver « a ».
*Arrondissez à deux décimales pour trouver « b ».

6. Déterminez le salaire de l'emploi de travailleur social à l'aide de la formule trouvée à l'étape précédente.

Salaire pour l'emploi de travailleur social : ....

---

[15] Adapté de : Statistique Canada, 2012, tableau A-1, Salaires annuels moyens, heures régulières hebdomadaires de travail, salaires horaires et rémunération globale par heure travaillée, selon la Classification nationale des professions, ensemble des employés, Québec, 2011. Dans Résultats de l'enquête sur la rémunération globale au Québec, collecte 2011. [En ligne] http://www.stat.gouv.qc.ca/publications/remuneration/pdf2012/ERG2011.pdf

10 Les Droits des employés

10.1. Le casse-tête disciplinaire

Vous êtes conseiller RH pour une compagnie québécoise de conception et de fabrication de jeux de société. La compagnie montréalaise embauche une trentaine d'employés, dont ceux de la boutique attitrée de l'entreprise, située au rez-de-chaussée du bâtiment abritant le siège social. Les jeux de société sont offerts dans cette boutique ainsi que dans plusieurs magasins à grandes surfaces. L'engouement pour les produits québécois vous fait bonne presse. Tout allait pour le mieux jusqu'à ce que le directeur et propriétaire de l'entreprise, M. Robert Gay, entre dans votre bureau, découragé. Il n'avait jamais fait face à des problèmes majeurs dans la gestion de son personnel, mais aujourd'hui il doit absolument vous demander conseil au sujet de plusieurs employés. En effet, divers écarts de rendement ont eu lieu au cours des dernières semaines et vous devrez prendre des décisions quant aux mesures à adopter. Pour le moment, il n'existe pas de politique officielle quant à la gestion disciplinaire et aucune forme de gestion du rendement n'est officialisée. Sans plus attendre, M. Gay vous expose les cas problèmes.

Paul travaille à temps partiel à la boutique depuis 2 mois. Récemment, son responsable a remarqué qu'il manquait une somme considérable dans la caisse. Le responsable est persuadé que la seule autre personne à avoir manipulé la caisse était Paul. De plus, les comptes des deux derniers mois montrent que la caisse accusait parfois un déficit d'une dizaine de dollars. Ces déséquilibres coïncident étrangement avec les journées où le responsable travaillait seul avec Paul. Ce dernier a donc été suspendu aux fins d'enquête, jusqu'à ce que M. Gay se positionne sur la sanction à prendre. De plus, ce matin, un employé de la boutique rapporta à M. Gay que Paul s'était montré très impoli avec un client, sans raison apparente, lors de son dernier quart de travail. C'est vraiment la goutte qui a fait déborder le vase.

Il y a ensuite le cas de Marthe, qui est secrétaire depuis un an. Elle est mère monoparentale de trois enfants en bas âge. Depuis 6 mois, on a remarqué que ses absences se faisaient nombreuses. Aucune note n'a été mise à son dossier puisqu'elle disait devoir s'occuper de ses enfants, qui contractaient diverses maladies. Puisque tout le monde s'entend bien avec elle, personne n'a jugé nécessaire de noter ses absences dans un dossier disciplinaire; elle semblait toujours avoir de bonnes excuses. M. Gay commença à s'inquiéter davantage lorsqu'elle s'absenta pour la journée sans en avoir averti ses collègues.

Yves est le comptable de la compagnie depuis 5 ans. Son divorce récent affecte grandement son rendement au travail. Certains collègues affirment même qu'il a tendance à prendre un... ou deux... ou trois verres à l'heure du diner. Il a récemment eu un grave écart de comportement en injuriant une technicienne comptable. Les personnes témoin de la scène ont affirmé que cela ne lui ressemblait pas. Des rumeurs rapportent qu'il était visiblement sous les effets de l'alcool à ce moment-là.

Finalement, Roger travaille au marketing depuis 6 mois. Bien qu'il ne détienne pas de diplôme, son expérience au sein d'une plus petite PME laissait croire qu'il serait un bon candidat à ce poste. Or, de plus en plus, on remarque qu'il a de la difficulté à atteindre les objectifs qui lui sont fixés, en plus de faire de nombreuses erreurs. Son manque de formation et d'expérience lui joue des tours et il passe à côté de plusieurs éléments cruciaux pour le règlement de certains contrats auprès de distributeurs potentiels.

M. Gay ne s'y connait pas vraiment en gestion disciplinaire. Il demande donc votre aide pour savoir quelles mesures il peut prendre auprès de ces employés. Il aimerait également prendre des mesures pour que de telles situations ne se reproduisent pas.

Questions 10.1

1. Quelles pourraient être les causes des écarts de rendement de chaque employé?

2. Dans les cas de Paul, Marthe et Roger, s'agit-il de manquements disciplinaires ou non-disciplinaires?

3. Pour chacun des cas mentionnés ci-haut, décrivez en détail la mesure à prendre auprès de l'employé. Justifiez.

4. En réaction aux récentes infractions commises, et en tant que conseiller RH, ne devriez-vous pas prévoir une intervention pour l'ensemble de l'entreprise? De quelle façon?

10.2. Conflit de personnalités ou harcèlement?

Mary est secrétaire de direction dans une grande entreprise depuis huit ans. Depuis sa mutation dans le service où elle travaille actuellement, il y a de cela un an, elle n'a plus aucun plaisir au travail. Au contraire, elle trouve de plus en plus pénible de se lever le matin. La source de cet abattement est son patron. Elle ne peut supporter son attitude. Elle a dès la première heure trouvé qu'il s'agissait d'un grossier personnage, mais, au fil du temps, la situation s'est envenimée. Il révise constamment le travail de Mary en se plaignant qu'elle commet des erreurs aberrantes, alors que, selon elle, il ne s'agit que de peccadilles. Avec le temps, il s'est montré de plus en plus intolérant à la moindre erreur. Or, Mary compte 15 années d'expérience à titre de secrétaire de direction et ses évaluations de rendement ont toujours été irréprochables. Il lui arrive bel et bien de commettre des erreurs ou des oublis; comme tout le monde, quoi!

Ces derniers temps, Mary manque de sommeil et n'a plus d'appétit. Elle a décidé de parler de sa situation à une collègue de travail, mais cette dernière lui a répondu que son patron ne faisait qu'exercer son droit de gérance. Elle a suggéré que son nouveau patron est peut-être simplement plus sévère que ses précédents, et que le stress lié à ce nouveau poste a peut-être diminué sa concentration, la poussant à commettre plus d'erreurs.

N'étant pas convaincue des conseils de son amie, Mary décida de confronter son patron. Elle lui demanda d'être plus respectueux à son égard et moins agressif lorsqu'il lui fait des remarques au sujet de son travail, puisque, de toute façon, il s'agit toujours d'erreurs tout à fait mineures ou banales. Son patron ne supporta pas qu'on lui tienne tête ainsi et entra dans une colère noire. Il lui indiqua que si elle devait à nouveau être aussi arrogante à son égard, elle perdrait son emploi. Il la menaça enfin à mots à peine couverts d'utiliser son ample réseau de relations d'affaires pour nuire à son éventuelle recherche d'emploi.

À la suite de cette altercation, le stress de Mary augmenta. Une dépression la força à partir en congé de maladie. Au bout d'un moment, Mary apprit de son amie que son patron avait raconté aux autres directeurs qu'elle n'était pas une bonne secrétaire, qu'elle passait son temps à commettre des erreurs et qu'il ne souhaitait à personne qu'elle soit affectée à leur service.

Ce fut la goutte de trop. Mary décida de rencontrer un conseiller des ressources humaines afin de lui faire part de la situation. Elle mentionna qu'elle n'hésiterait pas à porter plainte pour harcèlement psychologique à la Commission des relations du travail si on ne venait pas à son aide.

Questions 10.2

1. Quel droit fondamental Mary devrait-elle invoquer afin de convaincre la direction de lui venir en aide?

....

....

....

....

....

2. Selon les informations dont vous disposez, s'agit-il réellement de harcèlement psychologique? Expliquez

....

....

....

....

....

3. Dans quelle mesure les conseils de l'amie de Mary étaient-ils pertinents?

....

....

....

....

4. Que devrait faire la direction à court terme? À long terme?

....

....

....

....

10.3. Une question de droit...

Cynthia n'en revient pas. À peine a-t-elle été embauchée comme conseillère RH senior chez *NiceCar* qu'elle doit convoquer le directeur pour lui expliquer une faute majeure dans sa façon de gérer son personnel.

La situation est la suivante : Cynthia, titulaire d'une maitrise en gestion des ressources humaines spécialisée en droit du travail, a occupé pendant 4 ans un poste de conseillère junior avant d'obtenir un poste de senior chez *NiceCar*, un concessionnaire de voitures de sport. On l'a sélectionnée principalement pour ses connaissances en droit du travail. La direction, ayant peu de connaissances dans le domaine, aimerait s'y sensibiliser après avoir vu son personnel doubler à la suite de l'expansion de l'entreprise. Cynthia sera désormais responsable de gérer la formation du personnel, la dotation, la santé-sécurité au travail et les stratégies de rémunération.

Avant l'arrivée de Cynthia, Marilyne, la secrétaire du concessionnaire depuis 3 ans, a été congédiée. En remplissant les formulaires de congédiement, Cynthia a eu l'occasion d'analyser l'application des mesures disciplinaires dans l'entreprise.

Le premier avertissement que reçut Marilyne fut pour un retard de trente minutes, un vendredi matin. À son arrivée, elle s'excusa, expliquant qu'elle avait eu d'importantes nausées. La semaine suivante, la situation se répéta à deux reprises, entrainant chaque fois une conséquence, soit un second avertissement, et une note à son dossier.

Ensuite, elle eut une suspension d'une journée pour absence non motivée, car il ne lui restait plus de congés dans sa banque de journées de maladie. En effet, la politique de l'entreprise veut qu'à l'exception des congés de maladie, les absences ou congés soient indiqués à l'horaire au moins une semaine à l'avance pour être approuvés. Lorsqu'on lui demanda des explications, Marilyne indiqua qu'une plage horaire s'était libérée chez son obstétricien et qu'elle l'avait su le matin même.

Marilyne a ensuite reçu un avertissement pour avoir mangé à son poste durant les heures de travail. Pourtant, la politique est claire : il est permis de manger uniquement dans la salle des employés, au moment de la pause ou du diner. L'infraction a été découverte grâce aux caméras de sécurité situées à l'entrée du concessionnaire. Marilyne ne croyait pas se faire prendre, car elle ne savait pas que les caméras de sécurité fonctionnaient réellement.

La semaine suivante, Marilyne arriva encore en retard à deux reprises. Conséquence : une semaine de suspension. Elle expliqua encore une fois que sa grossesse lui donnait d'horribles nausées le matin et qu'elle n'y était donc pour rien. La suspension ne fut pas levée pour autant, afin d'appliquer la politique des mesures disciplinaires équitablement, sans exception.

Au retard suivant, Marilyne fut congédiée. Son patron lui expliqua que la direction ne pouvait tolérer autant de retards dans un même mois. Il était tout de même prêt à lui écrire une lettre de recommandation et la rassura en disant qu'il donnerait de bons commentaires si on lui téléphonait pour des références.

Cynthia doit maintenant expliquer à son patron qu'il n'a pas tout à fait agi correctement dans la gestion de ce dossier…

Questions 10.3

1. De quelle erreur, commise par la direction à l'égard de Marilyne, Cynthia doit-elle parler? Le congédiement de la secrétaire peut-il être considéré comme une pratique interdite?

2. Que devrait faire Marilyne quant à l'erreur potentielle commise par l'employeur? Expliquez en détails la démarche qui sera effectuée par l'autorité juridique concernée, ainsi que les décisions que celle-ci pourrait rendre.

_____

_____

_____

_____

_____

_____

3. Nommez d'autres situations où un employé peut avoir recours à la même démarche.

_____

_____

_____

_____

_____

_____

4. Sur le plan juridique, quel autre élément du cas mériterait qu'on y porte une attention particulière?

_____

_____

_____

_____

_____

_____

_____

5. Pour chacune des activités RH dont Cynthia aura la responsabilité, nommez et expliquez un enjeu juridique s'y rattachant.

_____

_____

_____

_____

_____

_____

6. Quelles sont les principales références juridiques que peut utiliser un conseiller en ressources humaines?

_____

_____

_____

_____

_____

_____

10.4. Diversité et accommodement

Lucie est propriétaire du centre *Multi-Santé* depuis bientôt cinq ans. Cette entreprise, située en plein cœur de Montréal, offre des services de coiffure, manucure, maquillage, et même de massothérapie. Le style de gestion de la femme d'affaires est très familial. D'ailleurs, sa cousine est l'une des coiffeuses du centre et la majeure partie du personnel a été embauchée grâce à des références provenant de l'interne.

Dans la dernière année, Lucie s'est rendu compte qu'elle attirait une clientèle de plus en plus multiculturelle. Malheureusement, son personnel ne reflète pas du tout cette diversité. Après avoir réfléchi à sa façon de gérer et de recruter son personnel, Lucie se dit que cette situation n'avait rien de surprenant. Elle prit donc l'engagement de modifier certaines de ses pratiques de gestion afin d'assurer une diversité dans son personnel.

Les mesures mises en place par Lucie portèrent leurs fruits et elle embaucha Cindrella, une coiffeuse d'origine *rutabagienne*[16]. Cindrella s'intégra parfaitement à l'équipe. Lucie trouvait même qu'elle enrichissait grandement le milieu de travail en raison de ses expériences passées et des particularités de sa culture. Tout le monde s'intéressait vivement à son pays d'origine.

Les choses se gâtèrent légèrement à la venue de l'été. Cindrella revendiqua d'avoir congé les samedis, puisque selon la religion et ses pratiques culturelles, les samedis d'été sont sacrés. Or, Lucie a besoin de trois coiffeuses le samedi. Toutes les coiffeuses effectuent une rotation de leur quart de travail et se présentent donc un samedi sur trois. En apprenant la demande de la nouvelle employée, certaines collègues se montrèrent très réticentes. Elles déclarèrent que dans un souci de justice, les horaires devaient être répartis de façon égale envers tous les employés du centre.

Lucie n'avait jamais eu à gérer une demande de cette nature par le passé. Elle ne sait donc pas trop comment réagir. Elle a vaguement entendu parler du concept d'accommodement raisonnable dans les médias, mais elle ignore la façon de l'appliquer dans la réalité. Quoi qu'il en soit, elle ne veut surtout pas ruiner le climat de travail dans son entreprise!

---

[16] Origine fictive

Questions 10.4

1. Quelle est la différence entre l'égalité et l'équité?

....

....

....

....

....

....

....

2. Quel est le principe général à la base de l'obligation d'accommodement légale et que signifie un « accommodement raisonnable »?

....

....

....

....

....

....

....

3. Nommez deux éléments pouvant rendre une contrainte excessive.

_____

_____

_____

_____

_____

_____

_____

_____

4. Nommez une pratique favorisant la diversité culturelle pour chacun des champs de la GRH suivant : la dotation, la formation, la gestion de la performance et la gestion de carrière.

_____

_____

_____

_____

_____

_____

_____

_____

11 Rapports collectifs de travail

11.1 Mesures radicales pour de bonnes conditions de travail

Vous êtes responsable RH d'une entreprise de Montréal appelée *PatchWork*. Cette entreprise du secteur du textile fait l'assemblage de pièces de vêtements pour de populaires boutiques de mode. La recherche du moindre coût de transformation fait voyager les pièces de tissus à travers le monde. Avant de se retrouver chez *PatchWork*, la matière première traverse une série d'étapes nécessaires à la confection. Dans cette longue chaine, l'entreprise est l'une des dernières escales avant que les vêtements se retrouvent sur les en magasin. En effet, la confection des vêtements est complétée chez *PatchWork,* où une cinquantaine d'ouvriers effectuent l'assemblage final. Les caisses de vêtements sont ensuite envoyées aux distributeurs, qui étiquettent les vêtements et les envoient dans différentes boutiques à travers le Québec.

Ce matin, le propriétaire de l'entreprise, M. Yvan Ducoton, est venu demander votre aide. Des rumeurs planent au sein de l'entreprise… Il semblerait que les employés soient en plein processus d'accréditation syndicale. Bien que vos tâches se limitent à préparer les paies, à vous occuper de la dotation et à remplir les documents administratifs liés à la gestion du personnel, M. Ducoton croit que vos études en gestion des ressources humaines vous ont permis d'acquérir des connaissances en relations de travail. Il vous explique alors la situation et espère que vous pourrez le conseiller sur la stratégie à déployer.

La semaine dernière, un superviseur dans l'usine a entendu une conversation entre deux employés. Ceux-ci semblaient faire le compte des employés de leur service. De plus, lorsque ce même superviseur arrivait dans la salle de repos, les travailleurs semblaient changer abruptement de sujet de conversation, ce qui a éveillé ses soupçons. Ceux-ci ont été confirmés lorsqu'un employé est venu lui rapporter qu'un groupe d'employés avait sollicité une grande centrale syndicale afin qu'elle fasse campagne auprès du personnel de l'usine. Selon cet informateur, il n'y a pas encore suffisamment de cartes d'adhésion de signées pour justifier une demande d'accréditation syndicale. Il ajoute par contre qu'avec l'ambiance qui règne au travail, il ne serait pas surpris que, sous peu, la majorité des employés ait signé leur carte d'adhésion.

M. Ducoton s'inquiète vivement de cette situation. La concurrence féroce dans ce secteur d'activité, laquelle est causée notamment par l'ouverture des marchés, a fragilisé la santé financière de l'entreprise. À l'aube de la mondialisation, plusieurs entreprises québécoises du textile ont réussi à maintenir le cap en se spécialisant grâce aux nouvelles technologies. Plusieurs créneaux se sont alors développés, tels que celui des textiles destinés à des usages industriels ou celui de la conception de matériaux souples comme le polymère ou le géosynthétique. Or, la direction de *PatchWork* avait alors refusé de modifier ses activités, avec pour conséquence la diminution de son chiffre d'affaires. Une prochaine syndicalisation des employés serait la goutte d'eau qui fait déborder le vase...

Questions 11.1

1. Selon les informations que vous détenez, décrivez les étapes subséquentes à celles entreprises par les employés.

....

....

....

....

....

2. Quels facteurs sont reconnus comme étant les raisons typiques d'adhésion à un syndicat? Expliquez-les.

....

....

....

....

....

3. Quels éléments pourraient pousser certains employés à douter de la pertinence de se syndiquer?

....

....

....

....

4. Quelles stratégies pourraient employer la direction afin de dissuader les employés de vouloir adhérer à un syndicat? Nommez trois stratégies légales et deux stratégies considérées illégal.

....

....

....

....

11.2. Un trajet qui s'annonce difficile...

L'échéance de la convention collective arrive à un bien mauvais moment chez *Ballade-Bus*. En effet, les relations de travail ont rarement été aussi tendues au sein de l'organisation.

Ballade-Bus est une entreprise du secteur des transports. Elle possède une flotte de près de 300 autocars et elle offre des trajets non seulement à travers l'ensemble du Québec, mais aussi vers plusieurs villes importantes du Canada et du nord des États-Unis. On y embauche près de 1000 employés. Environ 150 d'entre eux sont des mécaniciens d'autocars travaillant dans une dizaine de garages répartis à travers les régions québécoises desservies par le transporteur. Ces garages servent à la maintenance et à la réparation de la flotte d'autocars. Ces dix garages, gérés par le directeur de la mécanique, compte chacun un superviseur pour coordonner les activités au quotidien.

Dans la dernière année, l'entreprise a vécu plusieurs changements. La fusion de certains garages a engendré plusieurs départs chez les mécaniciens. Certains d'entre eux ont quitté l'entreprise parce qu'ils trouvaient le nouveau lieu de travail trop loin de leur résidence. D'autres, comptant moins d'ancienneté, ont été mis à pied. Ces récents changements ont généré un climat de méfiance envers la direction. Le syndicat souhaite donc négocier un plancher d'emploi ainsi que des clauses encadrant la mise à pied du personnel.

De plus, un superviseur vous a informé qu'une bagarre s'est produite sur les lieux de travail. Les deux contrevenants ont bien reçu la sanction appropriée pour ce geste, mais ils ont toutefois refusé d'expliquer à la direction les raisons de leur conflit. Le superviseur témoin de la scène a entendu un des deux individus se plaindre que certaines propositions faites par le syndicat désavantageaient les jeunes, alors que l'autre lui a fait remarquer qu'il avait enduré de difficiles années pour en arriver là et qu'il méritait donc de tels avantages.

En ce qui a trait aux négociations de la convention en tant que telles, déjà quatre rencontres ont eu lieu. La première rencontre a servi à la planification des pourparlers; les suivantes ont permis aux deux parties de présenter et d'expliquer leur cahier de demande.

À la suite de ces rencontres, la direction a dégagé quatre principaux enjeux :

- Le syndicat souhaite des augmentations salariales de 4 % par année pendant trois ans, alors que la partie patronale espère les limiter à 2 %. Le syndicat rétorque que la popularité du transport collectif et l'augmentation du chiffre d'affaires que connait actuellement l'entreprise lui permettrait largement de répondre à cette demande.

- La direction veut réduire la couverture de l'assurance santé de la compagnie en éliminant la protection pour soins dentaires à laquelle elle contribue actuellement à 50 %. le syndicat, quant à lui, tient mordicus à maintenir la totalité de cette couverture médicale.

- La direction souhaite procéder à une réorganisation du travail et faire en sorte que certains garages soient spécialisés dans certaines activités de maintenance, mais le syndicat est très fermé à cette idée et craint qu'elle mène à d'autres mises à pied. Par ailleurs, il souhaite encadrer davantage les mises à pied et ainsi garantir un plancher d'emploi aux salariés.

- Finalement, la direction aimerait signer une convention collective de 6 ans, alors que le syndicat souhaite plutôt signer pour seulement 3 ans.

Les membres de la direction de *Ballade-Bus* se rencontrent actuellement pour faire le point sur les négociations ainsi que sur les stratégies à employer.

Questions 11.2

1. Nommez et expliquez les cinq formes que peuvent prendre les négociations collectives. Selon vous, quelle forme de négociation les parties devraient-elles préconiser dans ce cas-ci?

2. À quelle étape se situe cette négociation collective? En tenant compte de la forme de négociation employée, quelle stratégie devrait être utilisée à cette étape-ci?

3. Pour chacun des éléments abordés par les parties, spécifiez s'il se rapporte aux clauses salariales, contractuelles ou normatives.

....

....

....

....

....

4. Commentez le rapport de force dans ces négociations.

....

....

....

....

....

5. Comment doit se préparer la direction d'une entreprise avant de mener des négociations?

....

....

....

....

....

11.3. Le congédiement déguisé

Marie est conseillère en relations de travail à l'Université *IC-tou*. Au quotidien, son rôle est d'apporter un soutien aux gestionnaires sur tout ce qui concerne les relations de travail. Elle peut, par exemple, répondre à leurs questions liées à l'interprétation de la convention collective ou encore les accompagner lors des rencontres disciplinaires. L'ensemble des employés de l'organisation est accrédité sous trois syndicats différents, donc trois conventions collectives. Marie, ainsi que deux autres conseillères, sont attitrées à la convention collective du Syndicat des employés de services parallèles (SESP), qui couvre près de la moitié des 1500 employés de l'organisation. Ce syndicat regroupe tous les employés n'ayant pas un emploi relié à l'enseignement, c'est-à-dire tous les postes administratifs, le personnel d'entretien, le personnel de laboratoire, etc.

Dans une grande organisation comme l'Université *IC-tou*, les griefs sont monnaie courante. Les mesures disciplinaires sont systématiquement menées en grief, les mouvements de personnel sont méthodiquement scrutés par le syndicat et chaque réclamation à la CSST est défendue par les conseillers des syndicats.

Aujourd'hui, une rencontre du comité paritaire de griefs du SESP a lieu. Ce comité est formé des Marie, de ses deux collègues, de deux délégués syndicaux, et d'un conseiller syndical. Le comité se rencontre une fois par mois dans le but de régler les griefs les plus simples et de faire le suivi des griefs devant se rendre à de plus hautes instances. Le premier cas soulevé est le grief déposé par le syndicat au nom de M. Dubois, en raison d'un congédiement déguisé dont il serait victime.

M. Dubois est charpentier-menuisier et est amené, dans le cadre de ses fonctions, à faire différents travaux de maintenance dans l'ensemble des installations de l'Université *IC-tou*. Chaque matin, il se rend à l'atelier et reçoit les différentes requêtes distribuées par son superviseur auprès des cinq charpentiers. Certaines de ces requêtes doivent être accomplies en équipe, mais la plupart du temps il s'agit de travaux individuels.

Selon le plaignant, son superviseur lui a attribué le mois dernier une requête urgente qu'il devait effectuer en équipe. Toutefois, M. Dubois étant en conflit avec l'employé avec qui il devait être jumelé, il refusa d'aller faire cette requête. Son patron l'avisa alors que son refus de travailler en équipe constituait une insubordination. M. Dubois rétorqua qu'il refuserait toujours de travailler avec ce collègue puisqu'il ne lui faisait pas confiance et qu'il ne voulait pas être associé au mauvais travail accompli par ce dernier. Le superviseur fut très fâché par cette situation, mais n'appliqua aucune mesure disciplinaire.

Or, à partir de ce moment, la nature du travail de M. Dubois subit un changement substantiel. Au lieu de lui attribuer des requêtes, son superviseur lui demanda de nettoyer l'atelier de fond en comble, ce qui était habituellement demandé à un employé cumulant moins d'ancienneté. Il lui fut également demandé d'aller porter le matériel requis aux autres ouvriers, tâche habituellement réservée aux manœuvres. Après trois semaines à supporter cette situation et ne voyant aucune amélioration même après en avoir parlé à son supérieur, M. Dubois remit sa démission. Sa femme lui conseilla judicieusement d'aller consulter son syndicat, qui déposa un grief pour congédiement déguisé.

Questions 11.3

1. En quoi consiste un congédiement déguisé?

2. Quelle est la différence entre une démission, un congédiement et une mise à pied ou un licenciement ?

3. Qu'aurait dû faire le superviseur à la suite de l'insubordination? Faites état des étapes associées à la gradation des sanctions et nommez le cas où cette gradation n'est pas nécessaire.

4. Dans ce cas-ci, quelle stratégie devrait entreprendre la direction en lien avec M. Dubois et son superviseur? Si ce grief n'est pas réglé en comité, à quelle instance celui-ci peut-il être mené?

12 Santé et sécurité au travail, bien-être au travail

12.1. Accident chez Coupe-Toit

Vous êtes conseillère RH à temps partiel chez *Coupe-toit,* une grande usine de menuiserie et d'ébénisterie spécialisée dans les matériaux pour toitures. Depuis que vous occupez cet emploi, vous avez assisté à des manquements importants sur le plan de la santé et la sécurité au travail. En effet, aucun entretien préventif des mécanismes de sécurité n'est effectué sur les scies industrielles. De plus, vous avez souvent noté que des employés utilisaient les scies à bois sans porter leurs lunettes de sécurité. Chaque fois que vous tentez de sensibiliser les employés ou votre employeur aux règles de sécurité, on vous ignore sous prétexte que tout le monde dans l'entreprise a assez d'expérience pour savoir comment utiliser convenablement les différentes machines.

Dans un tel environnement, il était évident que l'inévitable finirait par se produire. Effectivement, la semaine dernière, un des menuisiers s'est coupé un doigt sur une scie, car il n'avait pas mis en place le dispositif de sécurité. Il était arrivé par le passé que des employés se blessent avec certaines machines, mais il s'agissait de blessure mineure, que personne ne déclarait... Cette fois, une onde de choc traversa l'entreprise. Certains se mobilisèrent et vinrent vous voir afin de savoir ce qu'ils pouvaient faire pour éviter qu'un tel accident ne se répète. Bien que le blessé se soit rétabli, il avait perdu beaucoup de sang et les employés présents ont été marqués par l'accident.

L'un d'entre eux vous confia qu'un de ses amis s'était impliqué dans le comité de santé et sécurité au travail de son entreprise. Les employés vous demandèrent comment implanter un tel comité chez *Coupe-toit.* Vous leur avez expliqué que, puisqu'il s'agit d'une entreprise de plus de 40 employés non syndiqués, un regroupement d'au moins 10 % des travailleurs devrait transmettre à l'employeur un avis écrit demandant la formation du comité (Loi sur la santé et la sécurité au travail, article 69). Cet avis devrait également être transmis à la Commission de la santé et sécurité au travail.

Vous avez bien hâte de voir la tête du grand patron lorsqu'il apprendra l'initiative de ses employés au regard de la santé et sécurité au travail. Lui qui pensait que la prévention était pour les débutants…

Questions 12.1

1. Nommez deux retombées positives des investissements visant l'amélioration de la santé et sécurité au travail?

....

....

....

....

....

....

2. Nommez deux responsabilités de chacun de ces acteurs en ce qui concerne la santé et sécurité au travail : 1) le gouvernement 2) l'employeur 3) les superviseurs 4) les employés.

....

....

....

....

....

....

3. Nommez deux méthodes pouvant être employées afin d'identifier les risques au travail.

....

....

....

....

....

....

4. Désignez deux autres droits ou responsabilités du comité paritaire de santé et de sécurité au travail au Québec.

....

....

....

....

....

....

5. Trouvez deux risques auxquelles peuvent faire face les travailleurs de cette usine et identifiez leur nature.

....

....

....

....

....

....

12.2. Une information capitale

Vous êtes superviseur dans une usine embauchant une trentaine d'employés. L'entreprise pour laquelle vous travaillez produit de l'équipement de sport sur glace pour les sportifs de haut niveau. Leurs principaux produits sont des patins pour le hockey, le patinage artistique et le patinage de vitesse. L'usine est divisée en plusieurs secteurs. On retrouve, par exemple, une section où les employés utilisent des machines spécialisées dans la coupe de cuir ou de matériaux synthétiques. Une grande partie de la confection est faite à la main, telle que l'assemblage et l'ajustement des patins. En fait, puisque la majorité des commandes requiert des ajustements personnalisés ou spécifiques au calibre des athlètes, seulement quelques petites étapes de la confection des produits sont automatisées. D'autant plus que c'est grâce à la précision des employés que les produits se démarquent par leur grande qualité.

Un beau matin, Ernest, un nouvel employé, arriva en trombe dans votre bureau. Il était très en colère et semblait porter le blâme sur la direction de l'entreprise. Selon lui, il aurait failli s'intoxiquer par votre faute. Une fois calmé, il vous expliqua qu'on lui avait demandé de procéder à la teinture de certaines pièces d'équipements. Or, seul dans la salle où les tissus sont teints, personne n'était présent pour lui expliquer quels équipements de protection individuelle utiliser. D'autant plus que les produits n'étaient identifiés que par un simple code de couleur.

Le lendemain, en voyant faire un collègue, il apprit qu'il était important de porter un masque lorsqu'on utilise l'un des solvants avec lesquels il avait été en contact la veille. En effet, ce solvant était en fait de l'alcool méthylique, produit fortement volatil et toxique lors d'exposition quotidienne. Puisque Ernest n'y a que très peu été exposé la veille, cela ne représente pas un danger pour sa santé. Toutefois, une longue période aurait pu se dérouler avant qu'il n'apprenne qu'il devait porter le masque en utilisant ce produit. Dans son dernier emploi, tout produit toxique était identifié à l'aide du SIMDUT, ce qui lui permettait de connaitre rapidement les dangers liés à son travail. Il trouva déplorable qu'un tel système, pourtant obligatoire, ne soit pas implanté dans cette usine.

Questions 12.2

1. Quelle est la loi québécoise pertinente à ce cas et, globalement, que régit-elle?

2. Qu'est-ce que le SIMDUT dont parle Ernest?

3. Quel droit fondamental de l'employé au regard de la législation fédérale et provinciale a été négligé dans ce cas-ci? Quels sont les deux autres droits fondamentaux des employés en matière de SST?

4. Nommez le type de risque ayant causé l'accident et expliquez le rôle de la prévention primaire, secondaire et tertiaire en tirant des exemples du cas d'Ernest.

12.3. Une chute qui fait mal....

Jonathan est étudiant en électromécanique. Plus tard, il souhaite devenir responsable des équipements d'usinage dans une grande entreprise. Pour l'instant, il concilie ses études avec un emploi à temps partiel chez ÉvoLAITion, une compagnie du secteur de la transformation alimentaire qui transforme le lait pour en faire du yogourt, du lait au chocolat et plusieurs autres produits laitiers. Chez ÉvoLAITion, Jonathan est responsable de l'entretien des machines sur deux quarts de nuit, la fin de semaine. Puisque la chaine de montage est réduite durant ces quarts de travail, ses responsabilités se résument à s'assurer que les machines n'ont pas de problèmes majeurs ainsi qu'à effectuer de l'entretien de routine sur certains équipements.

Dimanche passé, en raison de l'absence d'un collègue, Jonathan était le seul technicien à l'entretien des machines dans l'usine. Chaque quart de travail débute toujours avec une petite rencontre avec le superviseur du quart de jour. Puisqu'il n'y avait rien à signaler et que la production pour la nuit n'était pas très importante, le superviseur a décidé de laisser Jonathan effectuer ce quart de travail seul, bien que ce ne soit pas une pratique pour laquelle la direction a l'habitude de donner son accord.

Au beau milieu de la nuit, une des machines d'emballage s'arrêta et les préposés demandèrent l'aide de Jonathan. Il avait déjà entendu parler du problème que présentait cette machine, et, souvent, il suffisait d'éteindre et de rebrancher le courant d'alimentation pour la remettre en marche. Ne voulant pas déranger son superviseur au milieu de la nuit pour ce problème minime, Jonathan décida de prendre les choses en main.

Toutefois, le panneau électrique de cette machine se situait à près de 5 mètres du sol. Habituellement, on y accédait par la mezzanine, mais des rénovations en cours faisaient en sorte qu'il fallait utiliser une échelle pour l'atteindre.

Jonathan connaissait bien les règles de santé et sécurité au travail de l'usine stipulant que, pour monter dans toute échelle, les travailleurs sont dans l'obligation de porter un harnais afin d'éviter les chutes. Ces harnais sont rangés dans un casier situé dans la salle des employés. La clé de ce casier devait se trouver dans cette même pièce, mais, exceptionnellement, Jonathan ne la trouva pas à l'endroit habituel. Après avoir demandé à quelques employés s'ils ne l'auraient pas vue, il s'est finalement dit que quelqu'un avait dû quitter l'usine en la gardant dans ses poches par inadvertance.

Sûr de lui, Jonathan prit alors la décision de réparer la machine sans porter le harnais de sécurité. En fait, il ne voulait pas que la chaine de production accumule du retard en attendant qu'un superviseur vienne à l'usine pour régler ce problème à sa place. Mais un accident est si vite arrivé... Une fois dans l'échelle, à la hauteur du panneau électrique, Jonathan laissa échapper un outil et, en se penchant pour tenter de le rattraper, il glissa de l'échelle et tomba. En voulant se protéger, Jonathan plaça ses bras devant sa tête et tomba sur le côté.

Conséquence, Jonathan s'est retrouvé à l'hôpital avec une commotion cérébrale ainsi qu'une fracture de l'humérus, c'est-à-dire de l'os se retrouvant entre le coude et l'épaule, du côté droit. Un délai de 6 à 8 semaines sera nécessaire avant qu'il ne puisse reprendre ses activités normales. Pendant ce temps, il ne pourra pas utiliser son bras droit et devra limiter tout effort physique. Bien qu'un programme d'affectation temporaire lui permette de reprendre le travail lorsqu'il sera rétabli, c'est surtout dans ses études que cela aura d'importantes répercussions, puisqu'il accusera un retard qu'il devra rapidement rattraper.

Jonathan regrette maintenant de ne pas avoir respecté les règles de santé et sécurité au travail. Désormais, il sera le premier à inciter ses collègues à être attentifs au moindre risque.

Questions 12.3

1. Jonathan aurait-il pu simplement refuser de faire cette tâche? Quelles conditions permettent à un employé de se prévaloir de ce droit?

2. Comment expliquez-vous qu'en général les jeunes soient souvent sujets aux accidents de travail?

3. Quelle est la loi québécoise qui régit l'indemnisation qui sera offerte à Jonathan? Globalement, que couvre cette loi?

4. Quelles seront les obligations de l'employeur au regard du retour au travail?

_____

_____

_____

_____

_____

_____

5. Nommez le type de risque ayant causé l'accident et expliquez le rôle de la prévention primaire, secondaire et tertiaire en tirant des exemples du cas de Jonathan.

_____

_____

_____

_____

_____

_____

_____

_____

_____

12.4. Viser la santé de l'organisation

Vous êtes conseiller RH pour une grande entreprise du secteur bancaire. Plus spécifiquement, vous êtes attitré aux employés des trois centres d'appel de la compagnie, ce qui représente une centaine d'employés.

Tout récemment, on vous a confié un mandat spécial : celui d'étudier la possibilité d'implanter un programme de bien-être au travail. Il y a longtemps que le service de gestion des ressources humaines de votre entreprise encourage la mise sur pied d'un tel programme, mais la direction a attendu que la situation se détériore avant d'envisager d'intervenir à ce sujet. En effet, tout récemment, l'un des directeurs a dû partir en arrêt de travail en raison d'un épuisement professionnel. Les autres directeurs se sont alors rendu compte que la culture organisationnelle n'était pas du tout axée sur le bien-être au travail.

De votre côté, vous êtes très sensible au bien-être au travail, puisque vous savez que les employés des centres d'appel sont confrontés à des situations et à des conditions de travail pouvant avoir des atteintes sur leur santé psychologique. Ces employés sont très stressés, notamment en raison de la gestion de clientèles difficiles, du manque de soutien et de la pression pour conclure les appels dans de courts délais. Vous notez que les conditions de travail stressantes motivent de nombreuses absences, voire de nombreuses démissions. En plus d'axer vos recherches sur la gestion du stress, vous aimeriez implanter un programme permettant aux employés de mieux concilier le travail et la vie personnelle. Vous connaissez déjà quelques pistes d'intervention dans ce champ. Par contre, vous souhaitez vous informer davantage sur les conséquences d'une mauvaise conciliation travail-famille afin de mieux justifier votre intervention.

Finalement, vous avez parfois l'impression qu'on demande aux conseillers RH de jouer au psychologue. En effet, combien d'employés avez-vous vus se confier, en larmes, dans les bureaux de vos collègues en raison de problèmes personnels! Or, bien souvent, les conseillers RH ne sont tout simplement pas outillés pour venir en aide à ces employés. Vous souhaiteriez donc proposer l'implantation d'un programme d'aide aux employés (PAE), ce qui constituerait une ressource vers laquelle les conseillers RH pourraient diriger les employés en difficulté. Vous avez déjà entendu dire que la direction serait prête à investir dans un tel programme, mais, afin d'en assurer la réussite, vous souhaitez en identifier les facteurs de succès.

À la fin de vos recherches, vous tombez sur la norme *Entreprise en santé*. Ce programme vous intéresse tout particulièrement. Vous songez à exposer ce concept à la direction lors de la présentation de vos propositions concernant la santé et le bien-être. En espérant que vous saurez les convaincre!

Questions 12.4

1. La gestion du stress peut se faire à trois niveaux (primaire, secondaire, tertiaire). Trouvez une intervention pour chaque niveau de gestion du stress.

2. Nommez deux stratégies possibles permettant une meilleure conciliation travail-vie personnelle.

3. L'absence de conciliation travail-famille peut avoir des conséquences néfastes sur le travail, la famille et la santé. Nommez-en deux pour chacune de ces cibles.

....

....

....

....

....

....

....

....

....

4. Définissez ce qu'est un PAE et nommez-en trois facteurs de succès.

....

....

....

....

....

....

....

....

....

5. Expliquez ce qu'est la norme *Entreprise en santé* et exposez ses quatre sphères de priorités.

_____

_____

_____

_____

_____

_____

_____

_____

13 SIGRH et gestion à l'internationale

13.1. Plein air et informatique

Vous êtes conseiller RH pour une entreprise possédant deux grandes boutiques de plein air appelées *Terre et Mer*. L'entreprise fondée par M. Alex Thérieur, le propriétaire actuel, vend des articles de plein air variés, allant de l'équipement de chasse et pêche au matériel de camping, en passant par les vêtements de ski. Les deux boutiques de l'organisation embauchent en ce moment 80 employés. Dernièrement, M. Thérieur vous a mentionné que les démarches concernant l'ouverture d'une troisième boutique allaient bon train et que l'ouverture aura lieu d'ici 6 mois.

Compte tenu de l'augmentation à venir du nombre d'employés, vous suggérez à M. Thérieur d'implanter un système informatique qui facilitera votre travail. En effet, les dossiers des employés sont actuellement en format papier dans un classeur, les horaires de la boutique sont faits à la main sur des grilles imprimées, et, pour le reste, vous utilisez le logiciel Excel, qui n'est pas très adapté à cet usage.

À vos yeux, ce projet serait très réaliste étant donné que l'ensemble du personnel administratif possède un poste informatique et que les caisses enregistreuses des employés de la boutique sont en fait des ordinateurs connectés à internet. Une plateforme intranet comportant les dossiers des employés vous permettrait de vous départir d'une partie de la paperasse qui vous encombre actuellement. De plus, les employés pourraient vous faire parvenir rapidement leurs demandes de congé et aussi consulter leurs relevés de paie au lieu de les recevoir dans leur pigeonnier.

Vous justifiez également cet investissement par le fait que la plupart des employés de la boutique sont jeunes et que vos méthodes de recrutement (soit les annonces dans les journaux locaux) ne sont pas très adaptées pour attirer les candidats potentiels. En informatisant la gestion des ressources humaines, vous pourriez créer une plateforme web de recrutement afin de recueillir les candidatures en ligne. Un système de préclassement vous permettrait également de gagner du temps.

Bien sûr, la principale crainte de M. Thérieur est que l'entreprise implante un tel système informatique et que les employés n'y adhèrent pas. Si ceux-ci continuaient plutôt à utiliser les méthodes traditionnelles, la perte de temps serait alors double, puisque vous devriez traiter non seulement les informations provenant de l'intranet, mais également les demandes transmises en personne. Vous cherchez donc les meilleures stratégies qui garantiront le succès de ce projet.

Questions 13.1

1. Quel est le principal objectif de la cybergestion? Nommez deux activités liées à la GRH où elle peut être utilisée

....

....

....

....

2. Nommez deux avantages liés à l'utilisation des technologies de l'information et de la communication (TIC) en gestion des ressources humaines.

....

....

....

....

3. Nommez deux désavantages du recrutement en ligne et deux stratégies pour améliorer ce processus.

....

....

....

....

4. Élaborez deux recommandations afin de s'assurer que les employés utilisent l'intranet.

....

....

....

13.2. Difficile retour pour Réjean...

La compagnie *GrosDodo* possède une cinquantaine d'hôtels dans près de 20 pays. Son siège social est situé en Ontario, d'où les décisions d'ordre stratégique sont prises et d'où l'on établit les politiques de gestion pour tous les établissements. Il y a un an, Réjean Dupays a été mandaté pour développer un projet en Thaïlande. Il était le candidat parfait pour ce projet. Détenteur d'un baccalauréat en administration et d'une maitrise qui lui a permis de se spécialiser dans les méthodes de gestion à travers les différences culturelles, il a déjà travaillé pour une firme de consultants spécialisés dans la gestion des expatriés. En début de carrière, il a été gestionnaire pour d'importants complexes touristiques. Il travaillait à l'adaptation des politiques de gestion pour les différentes régions du globe depuis trois ans chez *GrosDodo* avant de recevoir le mandat spécial pour la Thaïlande.

Ainsi, une fois l'acquisition du bâtiment en Thaïlande réglée, Réjean fut expatrié avec une équipe de cinq personnes afin de finaliser le plan d'affaire avant l'ouverture officielle. Une étude de marché effectuée avant son arrivée avait permis de connaitre les orientations stratégiques que prendrait l'établissement *GrosDodo-Thaïlande*. Le mandat de Réjean était de compléter l'ameublement de l'établissement avec l'aide de distributeurs locaux, de planifier l'embauche et la formation du nouveau personnel, et d'assurer l'intégration du directeur qui prendrait les rênes après son départ. Son mandat s'est conclu avec succès et Réjean reçut une évaluation très positive.

Pour Réjean, ce premier mandat à l'international fut une révélation. À son retour, il n'arrêtait pas de vanter la Thaïlande en disant qu'il y retournerait n'importe quand, qu'il souhaitait à tous ses proches de vivre cette expérience au moins une fois dans leur carrière et que le rythme de vie en Ontario n'avait rien à voir avec ce qu'il connaissait depuis un an.

Réjean fut en congé pendant près d'un mois après son retour en Ontario. L'organisation affirmait que cela lui permettrait de se réinstaller, de se réadapter aux réalités nord-américaines, mais en vérité, on cherchait un poste pour Réjean. Finalement, on l'affecta au soutien aux établissements. Son rôle était de donner du coaching à distance aux établissements présentant des difficultés de gestion interne. Si le problème prenait de l'ampleur, Réjean mandatait un gestionnaire de la maison mère pour le régler sur place. Au début, il trouva ce poste idéal pour partager l'expérience qu'il avait acquise à l'étranger. De plus, l'espoir de recevoir un nouveau mandat de développement le gardait motivé. Mais les mois passèrent, et les quelques opportunités de développement à l'international furent données à d'autres collègues, sous prétexte que chacun devait profiter de la même chance.

Au fil du temps, Réjean commença à perdre de l'intérêt pour son poste.

Un jour, il débarqua dans le bureau de son supérieur avec une lettre de démission. Il expliqua que l'organisation ne lui offrait plus les défis qu'il attendait et qu'il s'était trouvé un emploi dans une autre entreprise. Le supérieur de Réjean s'était bien douté que quelque chose clochait en voyant son rendement diminuer depuis un certain temps. Réjean avait toujours été un employé fidèle et très compétent, et le supérieur fut déçu de perdre un tel employé. Il se demanda ce qu'il avait fait pour que la situation en arrive là...

Questions 13.2

1. Quelles sont les quatre étapes de l'évolution des entreprises internationales, et à laquelle d'entre elles se trouve l'entreprise *GrosDodo*?

2. Nommez trois pratiques qu'une entreprise peut mettre en place pour favoriser un bon accompagnement des employés expatriés avant et au début d'un séjour à l'étranger.

3. Nommez une stratégie qui aurait pu être mise en place par l'organisation avant le retour de Réjean au siège social et une autre stratégie une fois son rapatriement effectué.

....

....

....

....

....

....

....

....

4. Outre les problèmes vécus par Réjean, nommez deux autres problèmes ou craintes que peuvent éprouver les employés rapatriés.

....

....

....

....

....

....

....

....

14 Cas intégrateur

14.1. Une importante fusion

EDN est une entreprise mondiale du secteur des technologies. Son siège social, établi en Corée, embauche près de 5000 employés à travers le monde. L'entreprise se spécialise dans différents domaines, allant de la conception d'appareils de téléphonie mobile à la création de logiciels.

N'ayant pas encore percé le marché canadien des logiciels en raison de la forte concurrence, l'entreprise a décidé, il y a un an, d'établir un plan stratégique à cet effet. Après avoir évalué les différentes possibilités, elle a jugé préférable de s'implanter d'abord au Québec, la plus importante province du Canada en superficie. Le Québec compte une population de 8 millions de personnes, laquelle se concentre autour des grands centres urbains que forment les villes de Québec et Montréal. Dans l'agglomération de la ville de Québec, la capitale provinciale, on retrouve une population de plus de 765 000 personnes. L'agglomération de la métropole, la ville de Montréal, est bien plus dense, avec une population avoisinant les 4 millions.

Cette province comporte plusieurs avantages compétitifs. L'indice du coût d'implantation des entreprises y est plus avantageux que dans plusieurs autres secteurs géographiques tels que les États-Unis, le Japon ou l'Allemagne. De plus, le Québec est très compétitif dans le secteur des logiciels. Non seulement les coûts unitaires de main-d'œuvre y sont près de 22 % plus bas qu'aux États-Unis, mais cette région est de plus réputée pour avoir un bassin d'employés très qualifiés, notamment en raison du nombre élevé d'établissements d'enseignement offrant des programmes de bonne notoriété dans le secteur des technologies[17].

---

[17] Québec, ministère du Développement Économique, Innovation et Exportation. «S'informer/ logiciels, forces du Québec». http://www.economie.gouv.qc.ca/objectifs/informer/par-secteur-dactivite/technologies-de-linformation-et-des-communications/logiciels/page/le-secteur-13779/?tx_igaffichagepages_pi1%5Bmode%5D=single&tx_igaffichagepages_pi1%5BbackPid%5D=437&tx_igaffichagepages_pi1%5BcurrentCat%5D=&cHash=fee-37565d43b48c407a5beb0be04725f Mis à jour le 29 juin 2011.En ligne. Consulté le 12 janvier 2013.

Il y a six mois, après de longues négociations, l'entreprise a fait l'acquisition de deux PME québécoises du secteur des logiciels et des applications pour téléphone intelligent, soit les entreprises *Logi-Plus* et *Techno-Bulle*. La première d'entre elles, spécialisée dans les logiciels de gestion interne pour les entreprises — incluant des progiciels de gestion intégré (aussi appelés ERP pour *Entreprise Resource Planning)*, des logiciels d'ingénierie ou de gestion des inventaires —, embauche environ 200 employés.

La seconde entreprise acquise embauche 150 employés. Elle compte un service de dépannage et d'entretien des technologies de l'information, un service de conception d'applications mobiles pour téléphone intelligent et un service de développement web. L'entreprise agit également à titre de sous-traitants pour d'autres compagnies pour l'installation et le suivi de certains logiciels populaires.

Ces deux entreprises ont été choisies grâce à leurs vastes réseaux de clientèle à travers les grandes régions urbaines du Québec. La clientèle de *Logi-Plus* s'étend même jusqu'en Ontario, province voisine du Québec totalisant plus de 13 millions d'habitants où est situé Ottawa, la capitale nationale. Plusieurs institutions publiques utilisent les logiciels de *Logi-Plus*. Quant à la compagnie *Techno-Bulle*, son chiffre d'affaires ne cesse de croître depuis ses débuts, il y a 10 ans. La seule ombre au tableau : le service de développement web ne fait pas partie des plans futurs d'EDN. Ce service embauche une vingtaine d'employés.

Depuis l'acquisition, les deux anciennes PME ont continué leurs activités habituelles. En effet, la direction d'EDN voulait prendre le pouls des deux entreprises avant d'opérer quelconque changement. EDN est maintenant prête à fusionner ces deux entreprises afin que chacune puisse bénéficier des avantages de l'autre. De plus, les coûts de gestion seront moindres une fois les systèmes d'exploitation fusionnés. EDN prévoit également développer des applications mobiles à partir des logiciels conçus par *Logi-Plus*. Ainsi, les utilisateurs auront un accès facile, rapide et illimité aux données et aux activités de leur entreprise. EDN voit dans ce projet une innovation qui permettra à EDN-Logiciel de faire sa marque rapidement au Québec et en Ontario. Quant à *Techno-Bulle,* ce sont essentiellement ses compétences dans le développement d'applications mobiles qui ont motivé son acquisition. Son expertise dans le dépannage n'a été qu'un plus qu'EDN compte bien exploiter également, puisque la clientèle actuelle de ce service est stable et rapporte d'importants profits.

Sommairement, une fois la fusion complétée, EDN-Logiciel Canada devrait avoir la structure suivante : entre 300 et 350 employés, un service de dépannage et un service de ventes. S'y ajouterait un service de recherche et développement (R et D) divisé en trois services, soit : (1) logiciel de gestion interne, (2) applications mobiles et (3) applications mobiles de

logiciel de gestion interne. Pour les deux premières années, l'ensemble des activités se concentrera sur le Québec et l'Ontario. Une fois l'entreprise bien implantée, elle ouvrira son marché au reste du Canada.

Bien que plusieurs aspects de la fusion soient déjà planifiés par EDN, plusieurs autres dimensions doivent encore être analysées afin d'assurer le succès de la fusion. L'entreprise doit donc se pencher sur le choix du prochain directeur du service de R et D, le choix du mode de rémunération des vendeurs ainsi que d'autres stratégies à adopter à court et à long terme pour assurer le suivi de la fusion.

L'entreprise est présentement dans une impasse dans le choix du nouveau directeur du service de R et D. En effet, les deux entreprises ont chacun un directeur pour leur service de R et D, mais l'entreprise souhaiterait créer un seul service avec un seul directeur. L'équipe de R et D de *Logi-Plus,* dirigé par M. Gingras, compte 90 employés, soit près de la moitié des employés de l'entreprise. L'équipe de R et D de *Techno-Bulle,* sous la direction de M. Patenaude, est moins imposante avec ses 40 employés, ce qui représente environ 25 % du personnel de *Techno-Bulle.* EDN prévoit conserver en emploi ces 130 postes, ce qui représentera l'un des plus imposant service de EDN-Logiciels au Canada.

Alors que M. Gingras est un homme d'expérience, M. Patenaude, lui, est en début de carrière. M. Gingras a commencé sa carrière en informatique à la suite d'une formation technique dans ce domaine. Il a travaillé pour plusieurs compagnies avant de monter les échelons hiérarchiques. Il est en poste chez *Logi-Plus* depuis maintenant 20 ans, dont les 10 dernières à titre de directeur. Il est très respecté par ses pairs et sait prendre de bonne décision. M. Patenaude, quant à lui, est titulaire depuis cinq ans d'un baccalauréat en administration, avec une spécialisation en technologie de l'information. Il est au fait des dernières innovations dans son domaine et est très dynamique. Il y a cinq ans, quand il a commencé à travailler chez *Techno-Bulle,* l'entreprise en était à sa cinquième année d'existence et ne comptait qu'une trentaine d'employés. M. Patenaude a acquis son expérience avec la croissance du service de R et D, où il a occupé le poste de conseiller pendant trois ans avant d'obtenir une promotion et devenir directeur par intérim, puis directeur. La direction d'EDN se demande bien à qui attribuer le poste de directeur de R et D.

De plus, un important enjeu lié à la rémunération inquiète l'ensemble des employés. En effet, la maison mère d'EDN effectue l'évaluation du rendement de ses employés à partir d'objectifs mesurables. À la fin de l'année, si les employés ont atteint leurs objectifs individuels, ils reçoivent une prime allant jusqu'à 10% de leur salaire annuel, peu importe le service pour lequel ils travaillent. Une rumeur plane voulant que l'entreprise souhaite installer ce programme au Québec. Or, ni les employés de *Logi-Plus* ni ceux de *Techno-Bulle* ne sont familiarisés avec ce type d'évaluation du rendement et de primes et l'inquiétude s'est installée à la suite de cette nouvelle. Des commentaires très négatifs ont été entendus à propos de ce programme, qu'on soupçonne de ne servir qu'à congédier les gens ou les priver de leur prime actuelle. En ce moment, chez *Techno-Bulle,* tous les employés reçoivent une prime si l'entreprise réussit à augmenter son chiffre d'affaires. Comme on le sait déjà, celui-ci n'a cessé d'augmenter depuis les dernières années. Les employés sont donc en colère à l'idée de perdre cette prime substantielle et pratiquement garantie, qui représentait parfois 15 % de leur salaire annuel! De plus, aucune des deux entreprises n'a un système d'évaluation officielle en place. Les superviseurs sont très mal à l'aise à l'idée d'attribuer des notes à leurs employés;

ils ont peur que cela brime la relation harmonieuse qui les lie.

Finalement, *Logi-Plus* et *Techno-Bulle* ont présentement chacun leurs propres vendeurs. EDN souhaiterait donc fusionner les services de ventes des deux compagnies originales. On avait déjà planifié d'offrir à tous les vendeurs une formation d'une semaine pour connaitre l'ensemble des produits offerts par la division des logiciels de EDN. On leur attribuerait ensuite un secteur géographique. Cependant, les vendeurs ont actuellement des modes de rémunération différents. Chez *Logi-Plus*, on ajoute à la rémunération de base une prime de 5 % du salaire si le service réussit à atteindre l'objectif de ventes annuelles fixé. Chez *Techno-Bulle*, les vendeurs ont un salaire fixe selon leur ancienneté. Ainsi, EDN se questionne sur le mode de rémunération le plus adéquat pour son équipe de vendeurs.

À titre de directeur des ressources humaines, vous savez que la gestion de tels changements implique des enjeux importants. Vous craignez que les employés fassent preuve de résistance face à tous ces changements. D'autant plus que l'entreprise n'a pas encore décidé de ce qui adviendrait des 20 employés de la division web. Vous devez donc analyser les différents enjeux et établir un plan d'action incluant les actions à prendre à court et à long terme.